小学生の サッカー
実力アップのための最強トレーニング

バディサッカークラブ 監修

メイツ出版

本書のとくちょう

日本代表選手を輩出する、
能力をのばす育成法を学ぶ

頭で考え、工夫できる
創造力豊かな選手を育てる

むずかしいことに挑戦し、
くじけない心の強さをやしなう

バディサッカークラブ[※1]では、1年生から4年生までは、基礎の反復練習が中心。5、6年生になると、試合をしながら、応用力を身につけます。試合中、監督はアレコレとは指示を出しません。ときには、ポジションを話し合って決めさせることも。むずかしいことにも、どんどんチャレンジさせます。子どもたちは、自分の頭で考えて、強い心を育み、創造力あるプレイを身に付けていきます。

※1 「日本ではじめてスポーツによる幼児教育」を実践したバディスポーツ幼児園が運営。

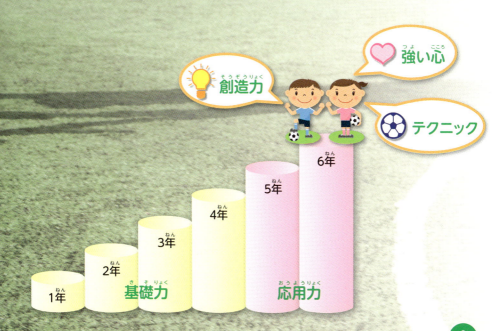

はじめに

　バディサッカークラブは、東京を中心に活動する小学生のサッカーチームです。ここでかつてプレイしていた子どもたちが、今、SAMURAI BLUE日本代表、なでしこジャパン日本代表など、日本のサッカー界を引っ張るトップ選手に成長しています。
　セレクションを行わず、誰でも入れる街クラブにもかかわらず、どうしてこれだけ多くのすぐれた選手を輩出しているのでしょうか？
　それは、バディサッカークラブの指導法に秘密があります。
　子どもだからといって、プレイを制限したり、監督がすべて指示を出したりということはしません。難しいことにあえて挑戦することで、強い気持ちを育み、自分たちで考えながらするよう導きます。
　子ども目線の言葉で指導するのもとくちょうのひとつ。たとえば、「ドリブルに緩急をつけろ」ではなく、「ひざを曲げて、『ゆっくり』と『はやく』を切りかえる」など、子どもが感覚的に理解できる言葉で伝えています。
　本書では、バディサッカークラブで取り組んできたトレーニング方法を紹介しています。ここで取り上げる内容は、たくさんある答えの中のひとつ。自分のスタイルや個性に合わせて、アレンジしながら活用し、夢をつかんでもらえたらうれしく思います。

バディサッカークラブ　コーチスタッフ一同

※本書は2016年4月発行の「ライバルに差をつける！小学生のサッカー最強チームの成長メソッド」を元に、内容を確認のうえ一部再編集し、書名・装丁を変更して発行しています。

graduates of BUDDY

活やくする卒団生

バディサッカークラブの卒団生や、その母体であるバディスポーツ幼稚園の卒園生には、海外リーグや日本国内で活やくするプロ選手など、日本代表にも選ばれているトップレベルの選手がたくさんいます。また、次の日本代表選手として期待される選手も続々と育っています。

男子
- 丸山 祐市　（名古屋グランパス）※SAMURAI BLUE日本代表
- 奥埜 博亮　（セレッソ大阪）
- 三田 啓貴　（FC東京）
- 武藤 嘉紀　（ヴィッセル神戸）※SAMURAI BLUE日本代表
- ディサロ 燦 シルヴァーノ　（清水エスパルス）
- 岡村 大八　（コンサドーレ札幌）
- 田中 碧　（フォルトゥナ・デュッセルドルフ）※SAMURAI BLUE日本代表
- 横山 塁　（モンテディオ山形）
- 川島 康暉　（SC相模原）
- 井上 亮太　（FC神楽しまね）
- 佐藤 恵允　（明治大学）※U22日本代表
- 岡 哲平　（明治大学）※U20日本代表
- 立川 圭吾　（FC東京むさし）※U15日本代表

女子
- 横山 純子　（the sunkisst）※フットサル女子日本代表
- 大島 茉莉花　（early.f.t）※U-17日本代表
- 中村 ゆしか　（ちふれASエルフェン埼玉）※U-23日本代表
- 田中 真理子　（ジェフユナイテッド市原・千葉レディース）※U-23日本代表
- 和田 奈央子　（ランクFCヴィラヴェルデンセ）※U-20日本代表
- 村松 智子　（日テレベレーザ）※なでしこジャパン日本代表
- 籾木 結花　（リンシェーピングFC）※なでしこジャパン日本代表
- 鳥海 由佳　（大宮アルディージャVENTUS）※U-20日本代表
- 工藤 真子　（ノジマステラ神奈川相模）※U-16日本代表

※上記の情報は2022年3月現在のものです。代表の実績は過去のものも含めています。

活やくする卒団生からのメッセージ

graduates of BUDDY

丸山 祐市 選手
（名古屋グランパス）

メッセージ

サッカーがとにかく大好きで、試合に負けたときは本当に悔しくて、涙があふれてくることも。次は勝ちたいと、試合の後も、ボールを蹴りに行っていました。バディで特にきたえられたのは、メンタルです。最後にモノをいうのは、どれだけ強い気持ちを持てるかだと思います。

PROFILE
2012年からFC東京へ加入し、2014年に湘南ベルマーレに期限付き移籍、2015年にFC東京に復帰。この年、日本代表に初選出される。
2018年に名古屋グランパスに移籍し、翌年からキャプテンを務める。2020年にはJ1リーグ3位に輝き、AFCチャンピオンズリーグの出場権を獲得する。

©N.G.E.

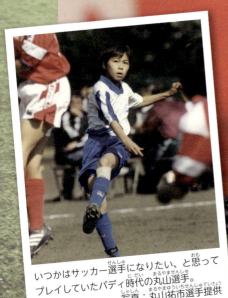

いつかはサッカー選手になりたい、と思ってプレイしていたバディ時代の丸山選手。
写真：丸山祐市選手提供

活やくする卒団生からのメッセージ

籾木 結花 選手
(リンシェーピングFC)

メッセージ

小さい頃から色んなスポーツに触れてきました。スポーツは楽しいものであり、同時に厳しい勝負の世界でもあります。私はスポーツ選手である前に、一人の人間として在ることの大切さを、スポーツから、そしてバディから、学びました。

PROFILE

2012年に在籍していた下部組織から抜擢昇格を受けて日テレ・ベレーザ(現・日テレ・東京ヴェルディベレーザ)でプレイする。2017年に日本代表に選出。
2020年5月から、アメリカのNWSL(女子1部リーグ)のOLレインに移籍し、翌年12月からはスウェーデンのダームアルスヴェンスカン(女子1部リーグ)のリンシェーピングFCに移籍している。

ときに泣き、ときに笑い、サッカーから多くのことを学んだ、バディ時代の籾木選手。

撮影:Mia Eriksson
提供:Linköping FC

バディ流 小学生のサッカー 成長のイメージ

バディでは、小学生のサッカーは、成長段階によって、身につけるべきことはちがうと考え、学年ごとに指導内容を変えています。ただし、一人ひとりの成長ペースもあるため、あくまでひとつの目安です。

4年生までの基礎のはんぷく練習を通して5、6年生あたりで急成長する子どもが多い。人によって中学でのびる子もいるのであせらないことも大切。

1、2年生
とにかくボールになれる

3、4年生
複数のうごきを組み合わせる

5、6年生
実戦のうごきから学ぶ

もっと自由にサッカーをしよう！

チームとして自由な発想を育てる空気や、つねに考えるくせをつけることも大切。

思った通りプレイをするには、基礎は絶対に必要。でも、そこから先は、どれだけ頭を使えるかや、とにかく好きという強い想いが、選手を成長させます。セオリー（基本）どおりのサッカーではなく、見ている人が思いもつかない、常識にとらわれないプレイヤーを目指しましょう。

ボールを自由に持ち、ドリブルで思ったようにうごきまわれることを目指します。ルーズボールは、スピードをゆるめず走り、球ぎわの技術を強化。味方のセンターリングなどのパスは、きれいに足でさわれなくても体にあてる。ボールをこわがらないことも大切。

ドリブルをしながら、コーンの周りを鬼ごっこ。あそびの感覚でテクニックをみがく。

ココをめざせ!
- ボールキープ&ドリブルができる
- ボールをうばい合う球ぎわに負けない
- 味方のパスにしっかり反応する

トラップ、ドリブル、パスなど、複数のうごきの反復練習を行います。ドリブルをしながら敵を観察するなど、複数のことを同時に行います。そのためには基本がしっかり身につき、プレイによゆうがなければできません。利き足の逆でシュートなど、苦手をなくす練習も。

ドリブルやフェイントの1対1の練習。良いなかま、ライバルを見つけるのも成長にかかせない。

ココをめざせ!
- 複数のうごきを組み合わせる
- 2つ以上のことを同時にできる
- 苦手なプレイをなくす

とにかく試合をひんぱんに行い、実戦から学びます。2つ以上のポジションを経験し、ひとつのポジションにとらわれない感覚をやしなうことも。チャンス・ピンチの感覚をみがき、相手を観察して裏をつくなど、頭を使ったプレイをします。

ミニゲームや練習試合を通して、実戦のかけひきを学ぶ。試合でしか学べないものもある。

ココをめざせ!
- 基本のプレイから応用のプレイへ
- ポジションにとらわれない考え方
- 頭を使うプレイを目指す

本書の使い方

この本は、小学生のサッカーで、ぜひ試みてほしい練習法や、身につけてほしい考え方を、文章と写真で解説していきます。基本のテクニック、1章、2章は小学校低学年で身につけたいプレイ、3章、4章、5章は応用のプレイ、6章ではサッカーが上手くなるための方法について紹介しています。

番号
本書では、45のサッカーの成長メソッドを取り上げます。

タイトル
このページで取り上げる練習法や考え方です。

キーワード
もっとも重要なうごき方のコツや、考え方です。

レベル・人数・タイプ
むずかしさ、練習に必要な人数、身につく能力のタイプです。

こんなプレイができる
サッカーのゲームの中で、どんなことができるのかを紹介します。

手順
うごきの流れを文章と写真で紹介します。

ドリブル&ターン（足裏） 06

ボールを足裏で止め、後ろに転がし、素早く逆方向へドリブル

レベル ●●●○○　人数 1人　タイプ ドリブル能力

こんなプレイができる
1対1の場面で、進行方向から、素早く方向転換し、逆方向に進み抜き去る。

Point1 ひざを曲げ、腰をおとして、バランスをとる。

❶ドリブルをする。
❷急に止まって、足裏でボールを止めて、後ろに転がす。

テクニック

効果的に使える技を紹介します。

テクニック：腰でくるりとターンする

足を外側に動かすアウトサイドは、インサイドよりも、足首が曲がりにくく、むずかしい動きです。腰でいきおいよく回る意識で、ターンしましょう。

腰で回転しながら、アウトサイドで、止める、押し出す、という動作を同時に行う。

本文

このページで取り上げる成長メソッドについて解説します。

さらに上をめざせ！

さらに上達するためのうごき方や考え方です。

急にターンして敵を置きざりにする

ドリブルをしながら、足裏を使って、素早くターンをします。バランスをとるのがむずかしい動きですが、上手く行えば、敵をだまして置きざりにできます。ただし、ボールの上に足をのせる足裏ターンは、横からボールをけられとられやすいため、敵との間合いやタイミングに注意が必要です。

パティ選 上達の極意ケン：同じ動きでも、たくさんの選択肢を持つ。

❸ターンしてドリブル。

さらに上をめざせ！ キックフェイントをまぜたターン

ターンをする前に、キックフェイントを混ぜて、敵がおどろいたすきに、おろした右足インサイドでボールをけり、ターンする方法もあります。

❶キックするふりをする。

❷右足でボールをまたぎ、インサイドで後ろに転がす。

Point2 素早くターンする。

練習法：テニスボールを使う！

ボールが小さくなれば、ボールの中心をとらえるのは、さらにむずかしくなります。テニスボールを利用するほか、サッカーボールよりも一回り小さいリフティングボールという商品もあります。

練習法

マスターするための、おすすめの練習方法です。

これはダメ：止まったボールをけらない

ボールを置いた止まった状態で、ボールをけることは、実際のサッカーの試合の中では、あまりありません。ドリブルしながらや、パスを受けながらなど、動いたボールでシュート練習をしましょう。

これはダメ

よくやってしまいがちな、まちがったうごきです。

POINT

うごきの中の、大切なポイントを解説します。

CONTENTS もくじ

本書のとくちょう ― 2
はじめに ― 4
活やくする卒団生 ― 5

バディ流 小学生のサッカー 成長のイメージ ― 8

本書の使い方 ― 10

プレーの質に差がつく 実力アップの 3つの極意

基本を身につけるととっさに体がうごく ― 16
観察力をやしない敵の裏をつく ― 18
短所を長所に変えて自分だけの武器を作る ― 20

序章 確実に身につけたい 基本のテクニック 22

01 ボールを足元であつかう ― 23
02 ボールをうごかしてける ― 26
03 ドリブルでボールをうごかす ― 28

第1章 一人でもできる!
ボールを自由にあやつるトレーニング　30

- ④ ドリブル＆ターン（インサイド） ── 32
- ⑤ ドリブル＆ターン（アウトサイド） ── 34
- ⑥ ドリブル＆ターン（足裏） ── 36
- ⑦ ドリブル＆ターン（クロスオーバー） ── 38
- ⑧ リフティングの基本 ── 40
- ⑨ いろいろなリフティング ── 42
- ⑩ リフティングの応用 ── 44
- ⑪ いろいろなキックを使いこなす ── 46
- ⑫ 回転をかけてキックする ── 48
- ⑬ ノーモーションからのキック ── 50

第2章 複数人で行う!
実戦トレーニング　52

- ⑭ インサイドとアウトサイドのパスを使いこなす ── 54
- ⑮ パスコースを作ってパスを出す ── 56
- ⑯ 敵を背負ってトラップ＆ターン①ぎりぎりまで待つ ── 58
- ⑰ 敵を背負ってトラップ＆ターン②先にうごく ── 60
- ⑱ 敵を背負ってトラップ＆ターン③敵からはなれる ── 62
- ⑲ トラップ＆ターンからうごいてパス ── 64
- ⑳ ミニゲーム（基本） ── 66
- ㉑ ミニゲーム（応用） ── 68

CONTENTS もくじ

第3章 自分だけの武器を作る！

長所を伸ばすプレイをしよう　70

- ㉒ 足の速さを活かして、裏街道を行く ── 72
- ㉓ 技を活かして、敵をぬく ── 74
- ㉔ 体の大きさを活かすチャンスメイク ── 76
- ㉕ すごいスルーパスを出す ── 78
- ㉖ 背中を向けないドリブラーになる ── 80
- ㉗ 鉄壁のディフェンスを目指す ── 82

第4章 身体能力をカバーする最大の武器！

頭を使うプレイをしよう　84

- ㉘ 敵をあやつり、味方を有利にする① ── 86
- ㉙ 敵をあやつり、味方を有利にする② ── 88
- ㉚ 普通は通らないワンツーパスを通す ── 90
- ㉛ 3対2のケース① ── 92
- ㉜ 3対2のケース② ── 94
- ㉝ 3対2のケース③ ── 96

3対2のいろいろな攻撃を見ていこう！（解答例）── 98

第5章 実戦の中で使える！夢のテクニック　102

- ㉞ 浮いたボールをヒールリフト ─── 103
- ㉟ シャペウ ─── 104
- ㊱ シザース ─── 106
- ㊲ エラシコ ─── 108
- ㊳ ダブルタッチ ─── 110
- ㊴ コーナーキック直接ゴール ─── 112
- ㊵ オフサイドトラップを成功させる ─── 114

第6章 センスをみがき、能力を伸ばす！もっとサッカーが上手くなるために　116

- ㊶ 将来をみすえて能力を伸ばす ─── 116
- ㊷ 創造力あるプレイヤーになるために ─── 118
- ㊸ 最高のモチベーションを育てる ─── 120
- ㊹ メンタルを強化し、強い心をやしなう ─── 122
- ㊺ 女子サッカー Q&A ─── 124

プレーの質に差がつく実力アップの3つの極意

サッカーが上手になるために、大切にしてほしい3つのことがあります。
それは、「基礎をしっかり身につけること」「まわりをよく見て、観察すること」、そして「自分ならではの、武器を持つこと」です。

極意その1 基本を身につけるととっさに体がうごく

Point 2
正確な技術で、ボールコントロールし、ドリブルでぬく。

その上の技を目指す!

かわすタイミングを変えたり、敵とのきょりをとったり、フェイントをいれたり、工夫しながら敵の上をいくプレイをしましょう。

片方の足から、逆の足へ素早くボールを移動し敵をぬくダブルタッチ。 ➡ P110へ

理想は、考えなくても基本技術が、とっさに出てくる状態。くりかえしの基本練習によって、ボールをあつかう技術や、敵との間合い（きょり）などが、感覚的に身に付いていきます。

敵がボールをうばうために足を出して来たとき、ほとんど無意識にボールをずらし、敵をかわしている。

Point 1 敵のうごきに、自然と体がうごいて、かわす!

極意その2 観察力をやしない 敵の裏をつく

Point 3 味方を見ない（ノールック）で、パスを出す。

Point 2 敵にはドリブルでぬきにくる、と思わせる！

Point 1 右から来る味方のうごきを感じておく（観察）。

敵の裏の裏をつけ!

わざと右の味方にパスをすると思わせて、左からドリブルでぬきさる方法もあります。

パスをすると見せかけて、ドリブルでぬく。敵をだますための、体の向きやタイミングが大切。➡ P55へ

サッカーが上手な選手は、ゲーム中いつもまわりを観察しています。それができるようになるためには、まずボールをよゆうを持ってうごかせる技術が必要。観察力と基礎技術がそろってはじめて、敵の裏をつくすごいプレイができます。

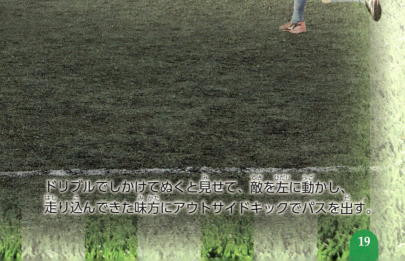

ドリブルでしかけてぬくと見せて、敵を左に動かし、走り込んできた味方にアウトサイドキックでパスを出す。

極意その3
短所を長所に変えて自分だけの武器を作る

Point① 速さがないなら、技術でカバー！

Point② 走り方も工夫して緩急を！

一見すると短所と思われることを、努力しておぎなおうとするときに、誰もまねできない長所が生まれます。たとえば、足が遅い選手が、ボールキープ力を磨いたり、走る速さに変化をつけたり、様々な工夫をすることで、自分ならではのプレイスタイルが生まれるのです。

長所は自分で作るもの

足が速いなどの長所だけでなく、足の遅い選手、パワーのない選手、体の小さな選手が、自分の欠点を補おうとすることで、自分だけの武器が生まれることもあります。

好きなドリブル技術をみがき、「背中を向けないドリブラー」を目指すのもおもしろい。➡ P80へ

Point❸
自分の目指すプレイスタイルを追求！ミスをしても、何度でも挑戦しよう。

序章 確実に身につけたい 基本のテクニック

サッカーを始めて、一番はじめに身につけておきたい「ボールを足元であつかう」「ボールをける」「ドリブルをする」という3つのテクニックを取り上げます。

できるだけ大きくノールックでうごかす

サッカーの最初の基本は、足元でボールをあやつること。ボールを前後、左右、ななめの方向に、足裏でうごかしてみましょう。うごきが小さくなることが多いため、足を大きくうごかすことを意識し、ボールを見ない(ノールック)で行います。

練習法 ボールがあればどこでも練習できる

家の中や近所の公園など時間があるときに、足元でボールをあつかっていると、自然と技術が上達します。

足元でボールをいろんな方向にうごかしてみよう。

足裏でボールを前後にうごかす

❶ 足裏にボールをおく。

❷ ボールを前に出す。

Point❶ できるだけ足元を見ないで行う。

❸ ボールを後ろに引く。

ボールを足元であつかう 01

前後左右ななめに足裏でボールを大きくうごかす

| レベル | ●○○○○ | 人数 | 1人 | タイプ | コントロール能力 |

こんなプレイができる 足元でボールを正確にコントロールできる。

足裏でボールを左右にうごかす

Point❶ できるだけ足元を見ないで行う。

❶足裏にボールをおく。　❷ボールを右に出す。　❸ボールを左に出す。

序章　確実に身につけたい基本のテクニック

より力強くキープし素早くうごかせる

足裏でボールをうごかすことになれてきたら、次のステップへ。足の側面でボールをタッチし、なでるようにうごかして足裏で押さえる、という技術をマスターしましょう。このうごきも、できるだけ大きく行うようにします。より力強く、素早いうごきで、ボールをコントロールすることができます。

インサイドでボールを押し出す

Point❶ できるだけ足元を見ないで行う。

❶足のインサイドをボールの横におく。

練習法 1対1でキープ力をみがく

ボールを守る側と、ボールを取る側に分かれて、どれくらいボールキープできるかを競いあってみましょう。

足のうごかし方だけでなく、体の向きを変えることも重要になってくる。

アウトサイドでボールを押し出す

❶足のアウトサイドをボールの横におく。

Point❷ なでるように押し出して、止める。

❷ そのまままっすぐ押し出す。
❸ 最後は足裏で押さえる。
❹ 戻すときは手前に素早く転がして、ボールを止める。

Point❶ ボールをなでるように押し出す。

バティ流 上達の秘ケツ
丸いボールのうごかし方をはんぷく練習でつかむ。

❷ アウトサイドでまっすぐ押し出す。
❸ 最後は足裏で押さえる。
❹ 戻すときは手前に素早く転がして、ボールを止める。

ボールをうごかしてける 02

止まったボールではなく
うごいたボールをける

| レベル ●●●○○ | 人数 1人 | タイプ キック能力 |

こんなプレイができる　ボールをけりやすい位置に転がし、正確にキックが打てる。

Point 1 けり方によって転がす位置が変わる。

❶ アウトサイドでボールを外側に出す。
❷ けりやすい位置に転がる。
❸ 右足をふりあげながら、左足をボールの横に足をつく。

足元でコントロールしボールをける

コーナーキックやフリーキックをのぞいては、止まった状態でボールをけることはほとんどありません。ボールをトラップしてパスを出したり、ドリブルからシュートをうったり、自分の足元でボールコントロールして、ける習慣をつけることが上達への近道です。

バディ流 上達の秘ケツ
最初は、けり方は何でもOK。うごかして、けることが大事。

これはダメ 止まったボールをけらない

はじめてボールをける子どもは、ボールを止めて、助走をつけてけることが多いでしょう。はじめは仕方ないですが、少しずつ自分でボールをうごかして、けれるようにしましょう。

助走をつけているあいだに、敵にカットされてしまう。

❹ ねらったところにボールをける。

ドリブルでボールをうごかす

軽いタッチでけって
足元にボールをキープする

| レベル ●●●● | 人数 1人 | タイプ ドリブル能力 |

こんなプレイができる 敵にとられにくく、安全なドリブルで、ボールを運べる。

❶ ボールを軽いタッチで押し出す。

Point❶ 左右の足が1回ずつついたらタッチ。

❷ ボールとのきょりをつめて、つま先で軽くタッチ。

細かくボールタッチする敵にとられないドリブル

最初のうちは、ボールを強くけりすぎて、ボールタッチの少ないドリブルになりがちです。足からボールが遠くはなれてしまうため、敵にボールをカットされやすくなります。できるだけ、軽いタッチで、ボールタッチの数を多くし、つねに足元にボールがある安全なドリブルを目指しましょう。

バディ流 上達の秘ケツ
ドリブルはボールを運ぶもっとも安全な方法。

❸ ボールとのきょりをつめて、つま先で軽くタッチ。

テクニック ボールタッチの仕方でドリブルが変わる

ボールタッチの仕方で、ドリブルは変化します。そのときの状況におうじて、使い分けられるようになりましょう。

インサイドのドリブル
体の内側にボールがあるため、安全にボールを運べる。

アウトサイドのドリブル
進行方向を変えたり、フェイントをしたりできる。

足裏のドリブル
スピードはでないが、正確でカットされにくい。

つま先の高速ドリブル
つま先で強めにタッチし、ボールと同じ速さで走る。

序章 確実に身につけたい基本のテクニック

第1章 一人でもできる！ボールを自由に

ココをめざせ！
① ボールをもって、自由自在に動ける。

ココをめざせ！
② イメージ通りに、ボールコントロールする。

ココをめざせ！
③ さまざまなキックを、けり分けられる。

あやつるトレーニング

ここで紹介する内容は、できれば小学校3、4年生くらいまでに身につけておきたいテクニックです。また、一人でもできるトレーニングを中心に紹介しています。くりかえしの反復練習で、しっかり身につけましょう。

ボールを運ぶ方法がドリブル、進む方向を変えるのがターンと心得て、360度全方向に動きまわる。

同じコースをねらっても、けり方ひとつ変えれば、全く別のシュートに変わる。

ココを意識してトレーニングしよう！

正確なトラップやボールコントロールの技術をあそびながらみがく。

ドリブル&ターン（インサイド） 04

ターンしながら**インサイド**で
ボールを**止めながら押し出す**

| レベル ●○○○○ | 人数 1人 | タイプ ドリブル能力 |

こんなプレイができる　ボールをドリブルしながら、360度どの方向にでも進めるようになる。

❶ コーンなどの目印にむかってドリブルする。

❷ コーンまできたら、体をターンする。

インサイドでターンする サッカーの基本の動き

ドリブルをして、ターンしながらボールを止めて押し出す、サッカーの基本の動きです。コーンなど目印を作ることで、一人でくりかえし練習することができます。なれないうちは、ターンした後、「止める」「押し出す」の2つの動きを分けて行い、なれてきたら、2つの動きを同時に行ってみましょう。

さらに上をめざせ!

ターンすると思わせ そのままドリブル

ドリブルから、ボールを止めて、ターンをすると思わせて、そのままドリブルをすると、敵をだますフェイントになります。基本の動きをもとにして、いろんな動きを組み合わせていろいろな応用をしてみましょう。

ボールを止めた後、敵のようすを見て、どちらでも動けるようにしよう。

Point❶
最初はむずかしければ、止める、押し出すを、2タッチで行う。

パティ流 上達の秘ケツ
基本の動きをアレンジすると応用になる。

❸ 右足インサイドでボールを1タッチで止めて、押し出す。

❹ このドリブル&ターンの練習をくりかえす。

ドリブル&ターン（アウトサイド） 05

へそでターンしアウトサイドで ボールを止めながら押し出す

| レベル ●●●●● | 人数 1人 | タイプ キープ力 |

こんなプレイができる 1対1の場面で、抜けないとわかったとき、反転してボールをキープし続ける。

❶ コーンなどの目印にむかってドリブルする。

❷ コーンまできたら、体をターンする。

アウトサイドを使う守備的なターン

インサイドのターンは、敵にむかっていく、攻撃的なターンです。一方、アウトサイドのターンは、敵からボールを遠ざける、守備的なターンです。状況におうじて、どちらも自由にできるようにしましょう。アウトサイドのターンの方が、インサイドのターンの動きよりも、むずかしくなります。

テクニック 腰でくるりとターンする

足を外側に動かすアウトサイドは、インサイドよりも、足首が曲がりにくく、むずかしい動きです。腰でいきおいよく回る意識で、ターンしましょう。

腰で回転しながら、アウトサイドで、止める、押し出す、という動作を同時に行う。

Point① 最初はむずかしければ、止める、押し出すを、2タッチで行う。

Point② ボールが足の間にあるため、取られにくい。

❸ 右足アウトサイドでボールを1タッチで止めて、押し出す。

バティ流 上達の秘ケツ
アウトサイドのターンは、敵にボールを取られにくい。

❹ このドリブル＆ターンの練習をくりかえす。

06 ドリブル&ターン（足裏）

ボールを足裏で止め、後ろに転がし、素早く逆方向へドリブル

| レベル | ●●●●○ | 人数 | 1人 | タイプ | ドリブル能力 |

こんなプレイができる　1対1の場面で、進行方向から、素早く方向転換し、逆方向に進み抜き去る。

❶ ドリブルをする。

Point❶ ひざを曲げ、腰をおとして、バランスをとる。

❷ 急に止まって、足裏でボールを止めて、後ろに転がす。

急にターンして敵を置きざりにする

ドリブルをしながら、足裏を使って、素早くターンをします。バランスをとるのがむずかしい動きですが、上手く行えば、敵をだまして置きざりにできます。ただし、ボールの上に足をのせる足裏ターンは、横からボールをけられとられやすいため、敵との間合いやタイミングに注意が必要です。

パティ流 上達の秘ケツ
同じ動きでも、たくさんの選択肢を持つ。

Point 2 素早くターンする。

❸ ターンしてドリブル。

さらに上をめざせ！ キックフェイントをまぜたターン

ターンをする前に、キックフェイントを混ぜて、敵がおどろいたすきに、おろした右足インサイドでボールをけり、ターンする方法もあります。

❶ キックするふりをする。

❷ 右足でボールをまたぎ、インサイドで後ろに転がす。

❸ 体をターンして、ドリブルする。

ドリブル&ターン（クロスオーバー） 07

ボールをまたいで、敵をだまして逆方向にターンする

| レベル | ●●●●○ | 人数 | 1人 | タイプ | ドリブル能力 |

こんなプレイができる　1対1の場面で、敵を片方に引き付けて、反対方向から抜きさる。

Point❶ 右足インサイドターンの姿勢でまたぐ。

❶ ドリブルをする。

❷ 右足で、ボールをまたぐ。

インサイドと思わせアウトサイドでターン

敵を背負っている状況で、敵の裏をつくターンで抜きさるテクニックです。まずは、ドリブルをしながら、右足でボールをまたぎます（敵にインサイドでターンすると思わせる）。そこから、右足で素早くアウトサイドターンをします。敵を引き付けて、その逆をとることで、かわすことができます。

バディ流 上達の秘ケツ

敵の逆をつくことを、常に考えてプレイする。

Point 2 敵の逆をついてドリブルで抜きさる。

❸右足のアウトサイドでターンしてドリブル。

テクニック 敵を逆に動かす

クロスオーバーのターンを成功させるカギは、いかに敵を逆方向に引き付けるかにかかっています。ボールをまたぐときのタイミングや、動き方が重要なポイントです。

❶ドリブルをする。

Point 1 敵に左にターンすると思わせる。

❷右足でボールをまたぐ。

❸右足アウトサイドでターン。

Point 2 敵を左方向にしっかり動かし、右方向へ。

❹ドリブルで抜きさる。

リフティングの基本 08

ボールをけったら足を下ろし、移動してから、次のボールをける

| レベル | ●●●○○○ | 人数 | 1人 | タイプ | コントロール能力 |

こんなプレイができる　ボールを受けやすい場所に移動して、正確にボールをけることができる。

Point① 足の甲の中心でとらえる。

Point② ボールをけりやすい位置に移動する。

❶ボールをよく見てけり、まっすぐ上げる。　❷けった足を下ろし、左足で動く。

けりやすい位置をしっかりつかむ

リフティングの基本は、2つあります。足の甲の中心にボールをあてて、まっすぐ上にあげること。もうひとつは、ボールをけった後、一度地面に足を下ろして、けりやすい場所に動いてから、次のボールをけること。ボールを正確にけりやすい、角度やきょりをつかむことが大切です。

バディ流 上達の秘ケツ
正しくけるには、正しい位置への移動が必要。

❸ 落ちてきたボールをける。

テクニック
軸足の左足で移動する

リフティングは、けることばかりに意識がいきがち。しかし、正確にけるには、けりやすい位置に動くことも必要。ボールをけったら、ボールが落ちる場所を予測し、軸足の左足を移動します。

「ボールをける」「足をおろす」「動く」のくりかえし。

09 いろいろなリフティング

さまざまな部位でリフティングをしボールを自由自在にあやつる

| レベル | ●●●●○ | 人数 | 1人 | タイプ | コントロール能力 |

こんなプレイができる　体のさまざまな場所でボールをあやつれるようになる。

インサイドリフティング

Point 1 足を地面と平行にする。

❶ 足のインサイドでボールをける。

❷ 足を下ろして、けりやすい位置に移動する。

アウトサイド

Point 1 足を地面と平行にする。

❶ 足のアウトサイドでボールをける。

体のいろんな場所でボールをコントロール

けったり、受けたり、ボールコントロールの基本が、リフティングで身につきます。足や体のいろんなところを使う、さまざまなリフティングに挑戦してみましょう。友達と競うなど、遊びの中で取り組むのもおすすめ。体のいろんな場所でボールをあやつる感覚を、楽しみながら身につけられます。

さらに上をめざせ！

頭や肩を使ったリフティング

足の他にも、手や腕以外であれば、リフティングをすることが可能です。頭、肩、胸など、さまざまなリフティングにも挑戦してみましょう。

頭のリフティング
おでこの中心でボールをしっかりとらえる。

肩のリフティング
肩は上下させず平らにし、ひざでボールを上げる。

リフティング

❷足を下ろし、けりやすい位置に移動。

もものリフティング

パティ流 上達の秘ケツ
遊びの感覚でボールとふれあう。

Point❶ ももを地面と平行にする。

❶ももにボールをあてて上げる。

❷足を下ろして、ももにあてやすい位置に移動する。

リフティングの応用 ⑩

むずかしいボールを しっかりコントロールする

| レベル ●●●●● | 人数 1人 | タイプ コントロール能力 |

こんなプレイができる　いりょくがあったり、むずかしいバウンドのパスもトラップできる。

低くける

Point① 足首は固定、落ちてくるボールを股関節とひざで上げる。

❶ 足の親指の付け根でボールを低く上げる。けった足を下ろさない。

❷ 落ちてくるボールを、チョンチョンと低く上げ続ける。

ボールの中心を足の中心でとらえる

ボールを「低くける」「高くける」「左右交互にける」「高い球と低い球を交互にける」など、条件をつけたむずかしいリフティングをしてみましょう。ボールをあてる足の位置への意識や、ボールの中心をとらえる感覚など、高度なボールコントロールのセンスをみがくことができます。

練習法 テニスボールを使う!

ボールが小さくなれば、ボールの中心をとらえるのは、さらにむずかしくなります。テニスボールを利用するほか、サッカーボールよりも一回り小さいリフティングボールという商品もあります。

小さなテニスボールでもリフティングは可能。

高くける

バディ流 上達の秘ケツ

リフティングは、練習するほど上手くなる。

Point 1 正確にボールの中心をとらえる。

❶ ボールをまっすぐ高くけり上げる。

❷ 落ちてくるボールを、同じように高くける。

いろいろなキックを使いこなす　11

変幻自在に**けり方を変え**ながら
ねらったコースに**シュートを決める**

| レベル ●●●●○ | 人数 1人 | タイプ シュート能力 |

こんなプレイができる　状況に合わせて、さまざまなシュートを打ち分けられる。

パディ流 上達の秘ケツ
リフティングは、練習するほど上手くなる。

❶ ゴールのサイドネットをねらって、インステップキックでシュートをはなつ。

❷ さまざまな角度やきょりからシュートの練習をしていく。

Point ❶ ドリブルをしながらなど、ボールがうごいた状態でける。

サイドネットをねらいシュートを打つ

　一人でもできる、ショートのおすすめの練習法として、ゴールのサイドネットをねらって打つ方法があります。シュートのコントロールをみがくのにも最適であり、かつ実際にキーパーが取りにくいコースでもあります。いろいろなきょり、角度、けり方で、ボールをうごかした状態でけりましょう。

これはダメ 止まったボールをけらない

ボールを置いた止まった状態で、ボールをけることは、実際のサッカーの試合の中では、あまりありません。ドリブルしながらや、パスを受けながらなど、動いたボールでシュート練習をしましょう。

自分でドリブルしたり、味方からパスをもらったり、動いた球をけるようにしよう。

第1章 ボールを自由にあやつるトレーニング

テクニック キックを使い分ける

キックには、それぞれメリット、デメリットがあります。状況に合わせて使い分けましょう。

インサイドキック
足の内側でけるキック。
メリット コースを正確にねらいやすい。
デメリット コースをよまれ、カットされやすい。

アウトサイドキック
足の外側でけるキック。
メリット コースをよまれにくい。
デメリット いりょくがでにくく、遠くにとばない。

インステップキック
ボールの下をつま先部分でけるキック。
メリット 浮いた球をけることができる。
デメリット コントロールがむずかしく、いりょくはない。

インフロントキック
足の甲でボールの中心をけるキック。
メリット ボールのいりょくがあり、遠くにとばせる。
デメリット コースをよまれたり、カットされやすい。

ループシュート
ボールの下に足先を入れ、浮かせるキック。
メリット タイミングをはずした意表をついたシュート。
デメリット コントロールやタイミングがむずかしい。

トーキック
ボールの中心をつま先でけるキック。
メリット モーションがよまれにくく、いりょくもある。
デメリット コントロールがむずかしい。

回転をかけてキックする 12

カーブをかけて、敵の横をすり抜ける絶妙なパスを味方に通す

| レベル | ●●●●○ | 人数 | 1人～ | タイプ | パス能力 |

 **こんなプレイができる** 通らなかったスルーパスが通るようになる。

Point 1 けり足を横にふり抜くようにする。

❶ ボールの左側をこするようにけって、カーブをかけたパスを出す。

❷ ボールが右にカーブしながら転がっていく。

敵がとりにくく味方がとりやすいパス

　直線のゴロのパスを味方に出したとき、あいだに敵がいると、カットされる可能性が高いケースでも、ボールに回転をかけて曲がる球をけると、敵をかわして、味方に取りやすい球を出せます。右方向にパスを出す場合、ボールの左側をこするようにけることで、右にカーブするパスになります。

バティ流 上達の秘ケツ
まっすぐ進むパスだけとはかぎらない。

❸ 敵をかわして、味方にボールがとどく。

 カーブのかけ方

　右に曲がるボールと左に曲がるボール、それぞれけり方が変わります。

右に曲がるパスをける

ボールの左側を、右足のアウトサイド側で、こするようにしてけります。足は、横にむかってふりぬきます。

けったボールは、バウンドすると、大きく右に曲がっていく。

左に曲がるパスをける

ボールの右側を、右足のインサイド側で、巻きこむようにけります。シュートをするとバナナシュートになります。

低い位置をけると浮いて、高い位置をけるとゴロになる。

第1章　ボールを自由にあやつるトレーニング

13 ノーモーションからのキック

足をふり上げずにパスを出し敵のカットのタイミングをはずす

| レベル | ●●●●○ | 人数 | 1人〜 | タイプ | パス能力 |

こんなプレイができる　通常はカットされる、敵の間のパスコースを、通すことができる。

右方向にパス

Point❶ 足をふり上げず、けるタイミングを敵によませない。

❶パスコースを確認しておく。

Point❷ 目線はパスコースを見ない。

❷右足のアウトサイドをボールの下に入れてボールを浮かせて出す。

タイミングをよませず味方にパスを通す

　敵にパスカットをされるのは、けるタイミングや、コースをよまれているためです。それを防ぐためには、敵によまれないうごきをすることが大事です。その方法のひとつが、ノーモーションのキック。けるときに、足をふり上げる動作をなくすことで、普通は通らないパスを通せます。

テクニック　足の指先にのせてボールをける

ノーモーションのキックは、ける前のふり上げる動作がないため、ボールにいきおいがありません。足の指先にのせて、足を前にふる力だけで、素早くパスを出します。

ボールの下に足を入れて、インサイドは親指に、アウトサイドは小指と薬指のあたりにのせてける。

第1章　ボールを自由にあやつるトレーニング

左方向にパス

バティ流 上達の秘ケツ　足をあまりふり上げないで打つシュートも効果大。

Point❶ 足をふり上げず、けるタイミングを敵によませない。

❶パスコースを確認しておく。

Point❷ ボールを浮かせる高さは、足のふり方で調節する。

❷右足のインサイドをボールの下に入れてボールを浮かせて出す。

第2章 複数人で行う！実戦トレー

ココをめざせ！ 1 激しいプレッシャーの中でボールをもらう。

ココをめざせ！ 2 うごきの中で出来たすきまにパスを通す。

ココをめざせ！ 3 実戦に近い状況で、敵とのかけひきを学ぶ。

ニング

ここで紹介する内容は、複数人で行うトレーニングが中心です。なかまとのコンビネーションプレイや味方や敵がいる実戦に近い状況で練習していきましょう。

パスコースを作る

パスができないときは、ボールをうごかすことで、自分、味方、敵の位置がうごいて、パスコースができる。

ココを意識してトレーニングしよう!

制限をつけたミニゲーム

ミニゲームの中で、正確なコントロールを身につけたり、新しい技をためしたり、プレイのはばを広げていく。

確実なトラップ&ターン

敵を背負った状態にも、さまざまなケースがある。どんなときも、確実にボールを受けて、次につなげる。

14 インサイドとアウトサイドのパスを使いこなす

基本の2つのパスを使って攻撃を組み立てる

| レベル | ●●●●○ | 人数 | 3人 | タイプ | パス能力 |

こんなプレイができる　味方同士で確実にパスを回し、敵をくずしてチャンスを作れる。

インサイドキックのパス

Point❶ 正確にけりやすいが、うごきがよまれやすいので注意。

❶ 敵とのきょりや、パスコースによゆうがある。

❷ インサイドキックで正確にパスを出す。

近くへのゴロのパスを確実につなげる

サッカーのパスで、もっとも確実なのが、近くの味方へのインサイドとアウトサイドのパスです。大きくバウンドするパスや長いきょりのパスは、ミスしたり、カットされて攻撃がとぎれたり、敵のチャンスになってしまいます。まずは基本の2つのパスを、しっかりと通し、攻撃を組み立てましょう。

さらに上をめざせ！ ドリブルの選択も持つ

パスが通せないときや、敵にすきがあるときなど、無理にパスをせずに、ドリブルをするという選択肢も持っておこう。

❶インサイドキックのパスをしようとするが「通らない」と判断。

❷逆方向に切り返し、ドリブルで敵をぬきさる。

第2章 実戦トレーニング

アウトサイドキックのパス

バディ流 上達の秘ケツ 敵がいる状況の中で正確なパス技術をやしなう

Point❶ 素早くけれるが、球のいりょくやコントロールがむずかしい。

❶敵とのきょりや、パスコースによゆうがない。

❷アウトサイドキックで素早くパスを出す。

15 パスコースを作ってパスを出す

パスコースがなければ
ボールをうごかして作る

| レベル ●●●○○ | 人数 4人 | タイプ パス能力 |

こんなプレイができる
チームでパスを回しながら、決定的なチャンスを作れる。

Point① ボールをうごかして、パスコースを作る。

❶ 味方にパスを通したいが、パスコースがない。

ゲームの中で
パスをまわす意味

サッカーの試合では、前にいる味方にパスが出せないとき、近くにいる味方にパスをしたり、逆サイドにパスしたり、自分でドリブルをしたりします。これは、ボールをうごかすことで人をうごかし、前の味方へのパスコースを作るのが目的。作ったパスコースに、確実にパスを通しましょう。

テクニック
パスが通るかどうかを判断する

敵と敵の間にパスを通せるかどうかは、自分の技術と敵の技術、味方のうごきなどで変わります。パスが通せなければ、速くうごく、フェイントをいれる、味方をうごかすなどの工夫が必要です。

敵の間のスペースを見て、通せるかどうかを一しゅんで判断する。

第2章 実戦トレーニング

バティ流 上達の秘ケツ
ボールをうごかすことで人がうごき、状況が変わる。

Point 2
ける速さ、けり方、タイミングなどを工夫して、パスを通す。

❷ ドリブルで横にうごくことで、敵の間にパスコースができる。

16 敵を背負ってトラップ&ターン① ぎりぎりまで待つ

ぎりぎりまでボールを待って素早くターンし、敵をおきざりに

| レベル | ●●●●○ | 人数 | 3人 | タイプ | ドリブル能力 |

こんなプレイができる 敵を背負いながら、ふりむきざまにシュートを決める

❶味方のパスが出る。

Point❶ 敵が前に出てきたら、体でブロック。

❷味方のパスがとどくのを待つ。

直前までうごかなければ敵にうごきを予測されない

トラップ&ターンでは、ターンする方向をよまれると、敵に簡単に止められてしまいます。普通、サッカーでは「うごきを止めるな！」と指導されることが多いですが、あえて止めることで、敵にうごきを予測されなくなります。ボールを待つとき体でブロックし、敵を前に出させないことも大事です。

テクニック　力の差があれば抑え込んでターン

自分よりもディフェンダーの体が小さい、力が弱いときは、敵にしっかりとくっついてうごきを封じることもできます。

Point1 手をのばして、敵に密着し、うごかせない。

ぎりぎりまでうごかず、ボールをもらったら、素早くターンする。

バティ流 上達の秘ケツ

あえてうごきを止め、敵にうごきをよませない。

Point2 ボールが来るまで、どちらにターンするか予測させない。

❸ ボールを受けたら、素早くターンする。

第2章　実戦トレーニング

17 敵を背負ってトラップ&ターン② 先にうごく

片方に体を向けておき、敵を引きつけて、逆方向からぬく

| レベル ●●●●○ | 人数 3人 | タイプ ドリブル能力 |

こんなプレイができる
敵ディフェンダーの裏をついて、ドリブルでぬきさることができる。

❶ ボールを受ける前に、左側に体をうごかす。

❷ 左に行くと思わせ、ボールをすかさず後ろに転がす。

あえて最初にうごく敵をだますプレイ

トラップとターンを行うさいに、自分の方から最初にしかけることで、有利な展開を作る方法です。たとえば、最初にあえて右方向に体を向け、最終的に左に切り替えてぬき去ることで、敵の逆をつくことができます。これは敵とのかけひきになるので、いく通りものパターンが考えられます。

バディ流 上達の秘ケツ
敵の考えていることの裏をつくことが大事。

Point❶ 敵を逆方向に引き付けて、ターンする。

❸ 素早く反対に切り返してドリブル。

テクニック 敵の力を利用する

ターンするとき、敵が押す力を利用して回転できると、素早くうごくことができます。敵がバランスをくずし、追いかけるタイミングも遅くなるので有利になります。

Point❶ 敵の力を利用して素早くターン。

こちらから体重をかけて、敵が押し返してきたタイミングでターンする。

第2章 実戦トレーニング

敵を背負ってトラップ&ターン③ 敵からはなれる 18

敵ディフェンダーが強力な場合はいったん敵からはなれる

| レベル ●●●●○ | 人数 3人 | タイプ ドリブル能力 |

こんなプレイができる 体が小さかったり、相手が強い場合でも、しっかりポストプレイができる。

❶敵のプレッシャーがきつく、トラップがむずかしい。

❷ボールがころがってきた方に走って、敵からはなれる。

トラップできなければいっきに下がる

体が大きくパワフルなディフェンダーに、後ろからプレッシャーをかけられると、ボールを受けにくくなります。その場合は、敵からいったんはなれてボールを受けましょう。すぐにターンしようとすると、姿勢の安定しない振り向きざまをねらわれるので、思い切ってドリブルできょりをあけます。

さらに上をめざせ！

間合いをとって再度、敵に挑む！

きょりをあけてターンした後は、自分の得意な武器ドリブルやフェイントなどで、1対1で挑むこともできます。

パワーでは負けても、素早さや技では、勝てるかもしれない。

バティ流 上達の秘ケツ
自分に有利な状況に、敵を引きこむ！

Point① 無理にターンすると、ボールをカットされる。

❸ ボールを持ったら、さらにドリブルできょりを広げる。

❹ 十分きょりが開いたところでターンする。味方にパスしたり、ドリブルでせめこむ。

第2章 実戦トレーニング

19 トラップ&ターンからうごいてパス

基本の連続のうごきを体に染み込ませる

| レベル | ●●●●○ | 人数 | 3人～ | タイプ | コントロール能力 |

こんなプレイができる　敵のプレッシャーがあっても、とっさに体がうごき、正確にボールをさばける。

バティ流 上達の秘ケツ　基本をマスターしたら次はうごきを組み合わせる

A　B　C
①走る　②トラップ　③ターン　④パス　⑤もどる

❶3カ所に分かれる。5人以上で行うのがやりやすい。AからBに走り、Cから出たボールをトラップ、ターン、パスをする。Aにもどる。CからBに別の選手が走り、くりかえす。

トラップ、ターン、パス この反復を身につける

サッカーの低学年の基本練習では、トラップ、ターン、ドリブル、パスなど、それぞれのうごきの練習を個別に行うことが多いかもしれません。しかし、実際のゲームの中では、連続したうごきのくりかえしが求められます。複数のうごきを組み合わせた、複雑なうごきの練習も行いましょう。

練習法 チームでボールを回す

パスをした人Bのスペースに、AやCが入り、パスのコンビネーションが続きます。

さらに上をめざせ！

うごいてからパス

走りこんでトラップ&ターンしたら、敵がいるのを想定し、一度ドリブルでうごいてからパスしてみましょう。

❶ボールを走り込んで受ける

❷ターンして、うごいてから（ドリブル）、パスを出す。

ミニゲーム（基本） 20

ポジションを決めず
個々の選手の適性を見定める

| レベル ●●●●○ | 人数 6人〜 | タイプ ポジション適性 |

こんなプレイができる　子どもに合ったプレイスタイルを見つけ、やる気を育むことができる。

Point 1
団子サッカーからぬけ出せない場合は、「どうしたらいいと思う？」「どうやったらパスがつながる？」など、ヒントを出し、考えさせる。

❶最初は、全員がボールにむらがる団子サッカーになりがち。

団子サッカーをしながら子どもの適性を見る

バディサッカークラブでは、低学年のミニゲームでは、ポジションを決めずに行っています。当然、最初の頃はボールにみんながむらがる団子サッカーになりますが、続けているうちに徐々に変化します。得点を決めるのが好き、パスを出すのが好きなど、個々の性格やプレイスタイルが出てきます。

楽しんでサッカーをしよう

まずはサッカーの楽しさを感じることが大事。最初からシステマチックにやりすぎたり、指示を出し過ぎたりすると、サッカーを楽しめなくなったり、自分で考えてプレイできなくなるので注意が必要。

できるだけ個々の希望にそってポジションを決める。

第2章 実戦トレーニング

バディ流 上達の秘ケツ

のびのびとプレイする中で向いていることを発見。

Point ❷
オフェンス、パス、ディフェンスの意識が芽生え、その子のやりたいことや適性が見えてくる。

❷ 少しずつ役割や適性を見つけ、ポジションの意識が出てくる。

ミニゲーム（応用） 21

制限をつけたミニゲームで、弱点を克服し、長所をのばす

レベル ●●●●●　　人数 6人〜　　タイプ さまざまな能力

こんなプレイができる　弱点がなくなるとともに、試合での応用力が身につく。

パティ流 上達の秘ケツ　制限をつけることで、特定の能力を強化する。

Point 1　制限を設けたり、道具を使って工夫することで、特定の能力をみがくトレーニングになる。

ミニゲームは、生きたボールでサッカーのプレイを学べる、もっとも実戦的な練習だ。

個々の弱点やチームの課題を克服

バディサッカークラブでは、高学年になると、ポジションや役割が、少しずつ明確になってきます。自由にミニゲームをすることもありますが、弱点を克服したり、特定の能力を強化するために、制限をつけたミニゲームを行うこともあります。今かかえている問題の解決のために利用してみましょう。

さらに上をめざせ！ 特しゅな環境を作って観察力を強化する

ビブスを使用して、味方の中でも色を変えて「同じ色はパスNG」などのパス制限をしたり、2つのボールを使用する方法などで、より深い観察力をやしなえます。

ビブスの色を変えて、特しゅな条件を設けて、ミニゲームをする。

さまざまな制限でミニゲームをやろう

ミニゲームの制限は無数にありますが、代表的なものをいくつか紹介します。

タッチ制限
人がボールにふれる回数制限。事前に周囲のパスコースを確認したり、速いパスまわしをねらう。

パス制限
パス3回までなどの制限をつけ、早いボールまわしの展開や、ドリブルでの突破力を強化する。

利き足制限
利き足のシュートを使わないなどの制限をつけることで、両足を使えるようになることを目指す。

コートの広さ制限
せまいコートでボールキープ力など技術力アップを図り、広いコートでは体力面の強化などを図る。

シュート制限
ペナルティエリア内でのシュートや強いシュートを禁止することで、パスで敵をくずす意識をつける。

せまいコートでプレイすることで技術力をみがく方法も。

第3章 自分だけの武器を作る！長所を伸ばす

ココをめざせ！
1. 自分の個性を活かしたプレイをする。

ココをめざせ！
2. 短所から、長所を生み出す。

ココをめざせ！
3. 自分の理想のプレイスタイルを目指す。

プレイをしよう

長所とは何でしょう？「足が速い」「背が高い」など、誰もがわかる特ちょうだけが長所ではありません。一見すると短所と思われることが、長所に生まれ変わることもあります。

足の速さを活かすプレイ

自分はもちろん、チームメイトもふくめて、長所を活かせるサッカーをしよう。

ココを意識してトレーニングしよう！

足が遅ければ、技でぬく

スピードがないなら、敵を引きつけ、おきざりにしてぬく。考え方ひとつで、短所が長所に変わる。

好きなプレイをみがこう

絶妙なスルーパスが出せるパサー、鉄壁のディフェンダーなど、目標を持って理想のプレイをめざそう。

22 足の速さを活かして、裏街道を行く

敵の裏にボールをけり
全速力でボールに追いつく

レベル ●●●●○　　人数 2人　　タイプ ドリブル能力

こんなプレイができる　足の速さだけで、敵をぬきさることができる。

❶ ドリブルで敵にむかっていく。

Point❶ 別の敵にカットされない、スペースにボールを出す。

❷ 敵の右側を通して、ボールを前に大きくける。

前にボールをけって後は脚力の勝負

足の速いプレイヤーにしかできないぬき技があります。それは、「ラン・ウィズ・ザ・ボール」。またの名を「裏街道」ともいわれる技です。敵の裏のスペースをめがけて、ボールを大きくけります。敵の横をすりぬけて、全速力で走って、敵よりも早くボールに追いつきます。走力をフルに活かせる技です。

バディ流 上達の秘ケツ
技がやぶられたらさらに上の技をあみだす

❸ 敵の左側からぬけ、全速力で走って、ボールを目指す。

さらに上をめざせ！ ディフェンダーの立場で考えて工夫する

良いディフェンダーであれば、ボールではなく人を見て、相手の走るコースをふうじボールをカットされるかもしれません。敵が上手な場合、さらに工夫して、攻撃をしかける必要があります。

Point❶ ボールではなく、人をマークしてふせぐ。

敵が上手ければ通用しないことも。頭を使ったり、別の技を混ぜたり、工夫が必要です。

第3章 長所を伸ばすプレイをしよう

技を活かして、敵をぬく

敵を引きつけておいて しかけてきたら素早くぬきさる

| レベル ●●●●○ | 人数 2人 | タイプ ドリブル能力 |

こんなプレイができる 足が遅くても、敵をかわして、ぬきさることができる。

Point ① 敵がカットしたくなる間合いをとって、おびきよせる。

❶ うごきを止めて、敵をおびきよせる。

❷ 敵が思い切ってカットにきたときをねらい、素早くかわす。

敵を引きつけておきさっそうとかわす

敵が足を大きく出してカットしてきたタイミングに合わせて、すかさずかわしてぬきさる技です。敵は大きく一歩を出してしまっているので、すぐに追うことがむずかしくなります。ポイントになるのは、敵がとれそうでとれない間合い（きょり）を保ち、敵にいかにしてしかけさせるかです。

さらに上をめざせ!

敵がしかけてこない

どうしてもぬかれてはいけない場面では、ディフェンダーはけいかいしながら、ボールカットにこないこともあります。しかけてこないとき、攻撃側はすぐに、次の攻撃をしかけましょう。

攻撃側は、別のフェイントでしかけたり、パスをつないで攻撃を展開。

パティ流 上達の秘ケツ
ひとつ技がふうじられたらすぐに次の技をくりだす。

Point 2
敵はすぐに追いかけることができない。

❸ ドリブルで敵とのきょりをはなす。

体の大きさを活かすチャンスメイク 24

背の高い選手がせってルーズボールでチャンスを作る

レベル	人数	タイプ
●●●●●	4人	戦術能力

こんなプレイができる
ルーズボールを確実にマイボールにしつつ、決定的な得点のチャンスを作る。

Point❶ 味方選手Bが、チャンスと思い、走り込んでいる。

味方A　味方B

❶ルーズボールが上がった。味方選手Aが、体の大きさを活かして、有利なポジションをとる。

チームの姿勢が大きく分かれる場面

どちらのボールになるか分からないルーズボールへの対応は、チームの得点に対する姿勢のちがいが大きく出る場面です。多くの選手は、競っている選手たちの周りでボールが転がってくるのを待っていますが、強豪チームになると、得点のチャンスととらえ、ルーズボールを利用してしかけます。

これはダメ　チャンスを感じていない

ルーズボールが上がったのに、チャンスと感じられずに、味方が立ち尽くしている。敵にはねかえされたボールはとれるかもしれないが、得点につながる絶好のチャンスを作ることはできない。

走り出していない。

ルーズボールが、転がってくるのを、ただ待っている。

バディ流 上達の秘ケツ　チャンスを感じられるきゅう覚をゲームで育てる!

味方Ａ　味方Ｂ

❷ 味方選手Ａがヘディングでボールを流す。そこに味方選手Ｂが走り込み、ボールをキープし攻める。

すごいスルーパスを出す 25

敵が追いつけない裏のスペースにパスを通す

| レベル ●●●●● | 人数 4人 | タイプ パス能力 |

こんなプレイができる　得点にむすびつく、決定的なパスを、味方選手につなげる。

Point❶ 自分のタイミングではなく、味方が追いつくタイミングでける。

Point❷ 敵ディフェンダーの足が横にそろっていると、うごき出しがおそくなる。

❶裏のスペースに走っている選手がいる。

テクニック　キラーパスをねらえ！

パスをねらうコースは、味方が敵よりも早くボールを持てる裏のスペース。敵が追いつけない絶妙なパスは、「敵の選手が何もできない、死んだような状態になる」という意味で、キラーパスともいわれます。

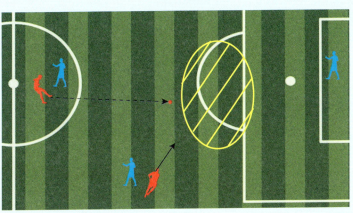

敵の背中側にある裏のスペースをねらう。

敵のあいだを通し味方にパスをつなぐ

スルーパスは、敵のあいだをぬいて、裏のスペースに出すパスです。走りこむ味方にボールを通し、敵にカットされない、絶妙な場所にパスを出すことが必要。敵のうごき、味方のうごきなど、さまざまな状況を判断しながら打つスルーパスは、高いレベルの観察力と技術力が求められます。

パディ流 上達の秘ケツ
一しゅんの観察力は、普段の生活できたえる！

Point 3 敵が追いつけない裏のスペースをねらう。

❸ 敵のあいだをぬいて、縦方向にパスを出す。

第3章　長所を伸ばすプレイをしよう

背中を向けないドリブラーになる

敵がボールを取りにきても攻めの姿勢で前を向き続ける

| レベル ●●●●○ | 人数 2人 | タイプ ドリブル能力 |

こんなプレイができる　ドリブルで敵をぬきさり、ゴールにつながるチャンスを作れる。

Point 1 足裏で下がり、間合いを調整する。

❶ ドリブルで進んでいると、敵が向かってきた。

❷ 後ろを向かず、そのままドリブルでぬきにかかる。

1対1はせっきょく的にドリブルで勝負する

チームプレイを重視する日本では、ドリブルで強引に攻め込みチャンスを作れるプレイヤーはあまり育っていません。しかし世界では、ドリブルでチャンスを作れる選手がたくさん活やくし、日本でもそんな選手が待ち望まれています。1対1の場面で、どんどん勝負をしかけ技をみがきましょう。

これはダメ　敵がきたら背中を向ける

敵がボールを取りにきたら、すぐにふりかえって背中を向けてしまうと、チャンスを作ることはできません。キープ力がないとカットされてしまうことも。

できるだけ低い姿勢をとり、敵に押し負けないようにする。

バディ流 上達の秘ケツ　自分らしいプレイをとことん追求する!

Point 2 体で壁を作るスクリーンプレイでドリブルする。

❸ ボールを取りにくる敵と、ボールのあいだに体をいれる。

Point 3 ひざを曲げて、敵よりも低い姿勢でぶつかる。

❸ 敵の前に出て、ぬきさる。

鉄壁のディフェンスを目指す 27

半身の姿勢でかまえ ひざを曲げて低くあたる

| レベル ●●●●● | 人数 2人 | タイプ ディフェンス能力 |

こんなプレイができる 敵との1対1の場面で、攻撃をシャットアウトする。

Point❶ 右足が前の半身のかまえで、左側に敵を進ませるねらい。

Point❷ ひざを曲げて、足は肩はばに開き、素早く動ける体勢。

❶敵がドリブルでせまってくる。右側をぬかれないように、左向きの半身のかまえ。

❷敵がぬきにきたところを、タイミングよく体をいれてカットする。

ディフェンスの基本をまずは身につける

攻撃と守備をくりかえすサッカーでは、ディフェンダーはもちろん、どんなポジションであっても、ディフェンスをすることが必要です。ディフェンスの半身のかまえや、敵に当たり負けしない低い姿勢など、まずは基本のてっていが大事。あとは、1対1のかけひきを、練習の中で身につけましょう。

練習法 1対1の勝負でかけひきを学ぶ

バディでは、練習の中に1対1のメニューを入れ、攻守を交代で行っています。真剣勝負の中で、体の角度、カットの足の出し方などをためしましょう。

ディフェンスを失敗したときは、何がいけなかったか原因を考えましょう。

第3章 長所を伸ばすプレイをしよう

バディ流 上達の秘ケツ
1対1は絶対に負けないという気持ちも大事。

Point 3
ひざを曲げて低い姿勢になり、敵に当たり負けしない。

❸ しっかりとボールをキープする。

第4章 身体能力をカバー
頭を使う

味方B **敵B**

考えてみよう！ 2対2のこのような場面のとき、あなたがボールを持っていたとき、どのような攻撃をしかけますか？

味方Aが味方Bにパスして、味方Aが走ってもらう、ワンツーパスの攻撃パターンです。

A 味方Aがドリブルをする。

B 味方Aが味方Bにパスをする。

C 味方Bが、走りこむ味方Aにパス。

する最大の武器！
プレイをしよう

身体能力が上の相手に勝つ方法、それは「頭をつかう」こと。身体能力におとる日本人選手が海外のチームで活やくできるのは、頭の良さともいわれます。敵のうごきを予測したり、敵の裏をつく攻撃をつねに意識しましょう。

敵Ⓐ

味方Ⓐ

ココをめざせ！
① 状況をみて、すぐ行動を切りかえる。

ココをめざせ！
② 敵をあやつり、有利な状況を作る。

ココをめざせ！
③ いくつもの攻撃パターンを持つ。

他にもどんな攻撃のしかけ方があるか、考えてみましょう。
答えの一例は、P88、P90へ。

28 敵をあやつり、味方を有利にする①

敵2人を引きつけておき敵のあいだにパスを通す

| レベル | ●●●●○ | 人数 | 4人 | タイプ | 戦術能力 |

こんなプレイができる
ゴール前で味方をフリーにして、決定的なチャンスを作る。

❶ 左にドリブルをする。

❷ 右側からぬきにいく。

Point❶ フェイントをいれて左にいくと思わせて右からぬく。

敵を引きつけて味方をフリーにする

サッカーの試合の中で、2対2の場面はよくあります。攻める方法はたくさんありますが、ここでは敵2人を引きつけて、味方をフリーにする方法を取り上げます。自分のうごきで敵をあやつり、2人の敵を同じ場所に集め、味方をフリーにしています。敵をぬき、パスを通す技術も求められます。

これはダメ　引きつける前にパスを出さない

すぐパスをしようとすると、パスカットされたり、フリーにしたい味方に敵が追いついてしまう可能性があります。外にしっかり開いて、敵を引きつけて、パスを出しましょう。

まだ敵を引きつけきれていない。ここでパスを出すと、敵が味方に追いついてしまう。

十分に敵を引きつけて、縦にパスを出す。

❸ ななめにドリブルする。

❹ 敵2人を引きつけ、あいだを通すパスを出す。

バディ流 上達の秘ケツ
身体能力で負けていたら頭を使って勝つしかない。

Point2　味方がフリーになる。

第4章　頭を使うプレイをしよう

29 敵をあやつり、味方を有利にする②

味方の方に近づいて敵を引きつけ、裏にパスを出す

| レベル | ●●●●○ | 人数 | 4人 | タイプ | 戦術能力 |

こんなプレイができる 敵2人を引きつけて、味方に決定的なチャンスを演出する。

❶ 左ななめにドリブルをする。敵がついてくる。

❷ さらに左ななめにドリブル。味方の方に近づく。

パスのタイミングは味方に合わせる

2対2の場面で、敵2人を引きつけて、味方をフリーにする方法をもうひとつ取り上げます。今度は、左方向にドリブルで進み、2人の敵を同じ場所に集めて、チャンスを作ります。アウトサイドの素早いパスで、敵のあいだを通す技術が必要。パスを出すタイミングは、味方との連けいも求められます。

これはダメ まっすぐパスするとどうなるか？

そのままパスをすると、味方選手が、ボールが落ち着かない足元を横にいる敵にねらわれてカットされてしまいます。敵のマークをはずしてのポストプレーや、敵が対応しづらい裏のスペースへのパスをねらうのが有効です。

単純なパスは、敵が上手ければ上手いほど、簡単にカットされてしまう。

バディ流 上達の秘ケツ
自分のうごき方で敵をコントロールする。

❸ さらに左ななめにドリブルする。もう1人の敵が出てきた。

❹ 2人の敵を引きつけ、アウトサイドであいだを通すパスを出す。

Point❶ 味方とタイミングを合わせて、素早くパスを出す。

第4章 頭を使うプレイをしよう

30 普通は通らないワンツーパスを通す

パスを受けられないときは走る方向を変えてボールをもらう

| レベル | ●●●○○ | 人数 | 3人 | タイプ | 戦術能力 |

こんなプレイができる　味方同士の連けいによる、素早いパスをまわして、攻撃できる。

基本のワンツーパス

❶ 味方Aが味方Bにパスを出す。

❷ 味方Aは前に走る。

❸ 味方Bから味方Aにパスが出る。

Point❶ 敵のマークがないのを確認してパス。

ワンツーパスを方向転換して受ける

味方にパスをして、再び味方からパスを受けるプレイを、ワンツーパスといいます。おたがいのうごきを見ながら、味方同士で息を合わせるプレイです。敵がしっかりマークについてきたときは、パスカットされる可能性がありますが、走る方向を変えることで、パスを確実に受けられます。

練習法 どうしたらパスが通るか考えることが大事

ワンツーパスの練習で、しっかりディフェンスがついてくるシチュエーションを作り、どうすればパスがもらえるか、考えてプレイすることが大事。どうしてもわからないときは、ヒントを出しましょう。

敵のマークをはずしたい。敵の視線がはずれたしゅん間に、走る方向を変える。

応用のワンツーパス

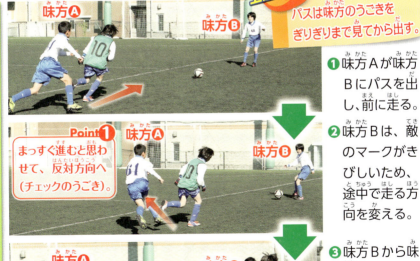

バティ流 上達の秘ケツ
パスは味方のうごきをぎりぎりまで見てから出す。

Point 1 まっすぐ進むと思わせて、反対方向へ（チェックのうごき）。

❶ 味方Aが味方Bにパスを出し、前に走る。

❷ 味方Bは、敵のマークがきびしいため、途中で走る方向を変える。

❸ 味方Bから味方Aにパスが通る。

第4章 頭を使うプレイをしよう

3対2のケース① 31

数的有利を作りながら素早いパス回しで攻める

| レベル | ●●●●○ | 人数 | 5人 | タイプ | 戦術能力 |

こんなプレイができる　数的な有利を作って、確実に敵をかわして、チャンスを作る。

❶味方Aがボールをキープ。味方Bにパスをする。

Point❶ さいしょは、2対1の関係性になっている。

❷味方Bがボールを受けて、味方Cにパスをする。

Point❷ 敵をぬいて、3対1の関係性になっている。

数的有利な形に気づけるかどうか

ここからは3対2の戦術を学びましょう。このケースは、さいしょの形が2対1と同じということに気づけるかどうかが大事です。最初の敵をぬいた後は、3対1の形になっています。味方をポストプレイにつかって、敵を引きつけておいて、サイドから上がった味方にボールをつなげています。

練習法: 2対1で勝負する

攻撃2人、守備1人の2対1は、攻撃の基本的な形です。エリアを決めて10m四方の四角いスペースなどで、ボールまわしの練習を行ってみましょう。

いかにパスの受け手がうごいて、敵の裏のスペースでパスをもらえるかポイント。

❸ 味方Cはポストプレーをし、走り込む味方Aにボールを流す。

❹ 味方Aがボールをキープし、ゴールをねらう。

❓問題

この3対2の状況で、他の戦略を考えよう！
※パス3回以内

▶解答例 P98

第4章 頭を使うプレイをしよう

3対2のケース②

三角形のフォーメーションで敵の裏をねらう

32

| レベル | ●●●●○ | 人数 | 4人 | タイプ | 戦術能力 |

こんなプレイができる　有利な状況を作り、敵をくずして、ゴールをねらう。

❶ 味方Aは、味方Cにパスを出す。

❷ 味方Cは、敵の裏のスペースをねらう味方Bにスルーパス。

Point❶ 敵のあいだに、スルーパスを通す。

？問題 この3対2の状況で、他の戦略を考えよう！
※パス3回以内　　▶解答例 P100

サッカーのすべてがここにつまっている

次の3対2のケースを見てみましょう。3人の攻撃側は、パスの方向が選べ、ボールをもっていない味方のうごきも重要になります。守備側は、カバーをするなど、2人の連けいでディフェンスをします。最後は、敵の裏のスペースに走る味方にスルーパスを通すことを目指しましょう。

これはダメ　強引にパスをしない

敵がスルーパスをけいかいし、パスを出せない場合、強引にパスをするのではなく、味方にもどし攻撃をやり直しましょう。

敵がしっかりマークにつき、パスコースがない。

第4章 頭を使うプレイをしよう

サイドチェンジで3対2を作る

敵をひきつけて、素早いサイドチェンジで、3対3から3対2の有利な状況を作りましょう。3対2ができたら、敵がカバーに入る前に、敵をくずすことが重要。目安は3タッチ以内の攻撃です。

味方Cと味方Aが近いきょりでパスをすることで、敵ACを引きつける。味方が逆サイドの味方Bにパス。

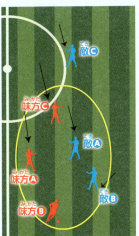

味方CとAが素早く右サイドに移動すると、3対2ができる。

3対2のケース③ 33

ポストプレイを使って敵の裏にパスを通す

| レベル ●●●●○ | 人数 4人 | タイプ 戦術能力 |

こんなプレイができる
引いているディフェンスをくずして、得点のチャンスを作る。

❶ 味方Aが味方Bにパスをする。

Point❶ Aはパスしたら、敵の裏のスペースに走る。

❷ 味方Bが味方Cにパスをする。

敵をうごかして裏のスペースをねらう

この3対2の形は、状況がすこし変わります。敵ディフェンダーが下がり、味方2人がマークされ、ボールの持ち手はフリーです。ポストプレイを使いながら攻めていく方法や、フリーの選手がドリブルでしかけていく方法もあるでしょう。素早く、敵の裏をとる方法を考えてみましょう。

テクニック
チェックのうごきで敵を引きはなす

敵を背中に背負うポストプレイヤーは、チェックのうごきを入れると、ボールを受けやすくなります。自分がボールをもらいたい場所の、逆方向に一度うごいて、もどってくるうごきです。

いちど前に走って、素早く後ろにもどると、敵を引きはなしてパスを受けられる。

Point2 味方Aのうごきをしっかり見ておく。

❸ 味方Cが味方Aにスルーパスを通す。

❹ 味方Aがボールを受け、勝負にいく。

問題 この3対2の状況で、他の戦略を考えよう！
※パス3回以内　▶解答例 P101

3対2のいろいろな

ここでは3対2の攻撃が有利な状況での攻撃のパターンを紹介。時間をかけすぎると、敵のカバーがきてしまうので、3回以内のパスで、敵をくずすことを目指そう。ここであげているのはあくまで一例、自分でも攻撃の仕方を考えてみよう。

ドリブルからのポストプレー　P92の解答例①

❶ 味方Aがボールをキープしている。

Point1 味方Bは敵の裏に走る。

❷ 味方Aが右方向にドリブルをし、味方Cにパス。

❸ 味方Cが味方Bにボールを流す。

ココをめざせ！
1. パスは3回以内
2. 敵の裏をとる

理想の形は、最後のプレイヤーが、敵の裏のスペースで、フリーでボールをもらえること。敵のプレッシャーがないため、シュートやパスを打ちやすく、得点の可能性が高まる。

攻撃を見ていこう！

スイッチプレーからのドリブル攻撃

P92の解答例②

❶ 味方Aが味方Bにパス。

Point1 味方Aへのパスも考えておく。

❷ 味方Bと味方Cが、スイッチプレイをする。

❸ 味方Bがそのままぬけてドリブル。

敵を引きつけて浮いたパスを通す

P92の解答例③

❶ 味方Aが味方Cにパス。味方Bが裏のスペースに走る。

❷ 味方Cが味方Bにパス。

Point1 アウトサイドの浮いたパスなどで通す。

❸ 味方Bが敵を引きつけ、味方Aにパス。

第4章 頭を使うプレイをしよう

右に引きつけ左にスルーパス　P94の解答例②

❶ 味方Aが敵Aを引きつけてから、味方Cにパスを出す。

Point1 むずかしいときは味方Aにパスをもどす。

❷ 味方Cがドリブルで、敵を引きつける。味方Bは裏のスペースへ。

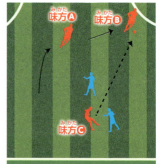

❸ 味方Cがスルーパスで味方Bに通す。

左に引きつけ右にスルーパス　P94の解答例①

❶ 味方Aがボールをキープ。

Point1 味方Aは敵を引きつける。

❷ 味方Aがドリブルで、味方Bの方へ。味方Cは裏のスペースへ。

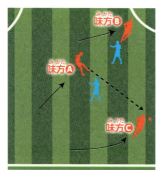

❸ 味方Aがスルーパスで味方Cに通す。

壁パスを利用してパスを通す　P96の解答例①

❶ 味方Aがボールをキープ。

❷ 味方Aがドリブルで進む。味方Cは外に広がる。

Point❶ 味方Bは裏のスペースをねらう。

❸ 味方Aから味方Cにパス。壁パスで味方Bにパスを通す。

ポストプレーからのスルーパス　P96の解答例②

❶ 味方Aが味方Cにパスを出す。

❷ 味方Cはポストプレーで、味方Aにボールをもどす。

Point❶ 味方Aはパスしたらすぐ前に走る。

❸ 味方Aから味方Bにスルーパスを通す。

Point❷ 味方Bは裏のスペースをねらう。

第4章　頭を使うプレイをしよう

第5章 実戦の中で使える！夢のテクニック

プロの選手がやっているような、すごいプレイを、実戦の中でどんどんチャレンジして使ってみましょう。ここでは、特に試合の中で使いやすい技を中心に紹介していきます。

バウンドを利用すれば簡単でミスしにくい

ヒールリフトは、かかとを使ってボールをけり、敵の頭上を越してぬきさる技です。ヒールリフトは、成功させるのがむずかしい技ですが、浮き玉やバウンドボールなどを利用すれば、成功率が高い有効な技になります。

テクニック ひざを曲げて、角度をつけてける

ボールを前に浮かせるには、角度をつけてけることが大事。角度のつけ方で、ボールの飛び方を調整しましょう。

足のアウトサイド側（かかとの横）にあてる。

❶ 浮いたバウンドボールが飛んできた。

❷ 敵を背負いながら、足の横でボールをける。

Point❶ ひざを曲げ、角度をつける。

34 浮いたボールをヒールリフト

バウンドボールを足横で浮かせて敵をぬく

| レベル ●●●○○ | 人数 1人 | タイプ ドリブル能力 |

こんなプレイができる
バウンドボールを利用したヒールリフトで、敵をぬきさり、チャンスを作る。

❸ 敵の頭の上をボールが超える。

パティ流 上達の秘ケツ
むずかしい技もやり方しだいで楽に!

Point ❷
素早く走る。敵は走り出すのが遅れる。

❹ 敵よりも早くボールをキープする。

第5章 夢のテクニック

シャペウ 35

敵を背負いながらボールを浮かせて敵をぬく

| レベル ●●●●○ | 人数 1人 | タイプ ディフェンス能力 |

こんなプレイができる　敵を背負ったピンチから、一しゅんで敵をぬきさり、前を向いてプレイする。

❶ 敵を背負いながら、大きく上がったボールに対応する。

❷ ボールの落下地点でける体勢をとり、敵を引きつける。

敵を背負ったときのディフェンスで使う

シャペウは、ボールを浮かせ、敵の頭の上を越えて、ぬきさる技。試合で使うには、かなりむずかしい技ですが、状況によっては有効に使えます。ディフェンスで敵を背負っていながら、大きく浮き球やバウンドボールを処理するときは、シャペウを使うことで安全にクリアできます。

テクニック 敵が飛び出してきたタイミングに合わせる

ボールをけるタイミングは、敵がボールを取るために、すぐ近くまで飛びこんできたときがベスト。深く入り込んだ敵は、すぐに追いかけられません。

自分と敵の体が入れ替わるイメージ。

パディ流 上達の秘ケツ　むずかしい技こそ基礎が活きてくる。

Point① 最初に敵がいた場所にボールを落とすイメージ。

❸敵が中にはいってきたタイミングで後ろにける。

❹落ちたボールをキープし、攻め上がる。

36 シザース

連続で素早くまたいで敵のすきを作ってぬく

| レベル ●●●●○ | 人数 1人 | タイプ ドリブル能力 |

こんなプレイができる　敵をほんろうして、ドリブルでぬきさることができる。

❶ ドリブルで進む。

❷ 右足でボールをまたぐ。ドリブルのスピードを落とさない。

ボールをまたぐ かれいなぬき技

ドリブルをしながら、ボールをまたぐ技がシザースです。左右の足で、連続してボールをまたぐため、敵はドリブラーが右と左どちらにくるかわからなくなります。敵が左右のどちらかにかたむいたり、左右の足がそろったり、体勢がくずれたところを見て、素早く逆方向にぬきさりましょう。

これはダメ　ボールの上でなくボールの前をまたぐ

シザースでよくあるのは、ボールの上をまたいでしまうこと。しっかりと、ボールの前をまたぐことで、敵がつられやすくなります。

ボールの上だと、足の動きが敵に見えにくい。

ボールの前だと、またぐうごきが敵によく見える。

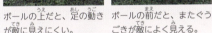

バディ流 上達の秘ケツ　勇気を持ってむずかしい技に挑戦!

Point ① 体の軸はまっすぐで、顔も前を向く。

❸ 左足でボールをまたぐ。敵のうごきを見る。

Point ② またいだ方向に、敵はつられてかたむく。

❹ 右足でボールをまたぐ。敵が右にかたむいたら、左から素早くぬきさる。

第5章 夢のテクニック

エラシコ 37

ボールを軽く押し出して同じ足で素早く切り返す

| レベル | ●●●●● | 人数 | 1人 | タイプ | ドリブル能力 |

こんなプレイができる　素早い足のうごきで、敵ディフェンダーをさっそうとぬきさる。

Point 1 足よりも、ひざが先に出るイメージ。

❶ ドリブルをしながら、足のアウトサイドで外側に押し出す。

❷ 押し出しながら、ボールの逆に足をまわす。

足技で逆をつく ハイレベルな技

エラシコは、ボールを外に押し出し、同じ足で内側に切り返す技です。これをドリブルの中で、素早く行うことで、敵の逆をついて、ぬきさることができます。ただし、形はまねできても、試合の中で使いこなすには、とてもむずかしい技です。いざというときに使えるように、たくさん練習しましょう。

パティ流 上達の秘ケツ
小学生だからといって早すぎる技はない。

Point 2 体の重心と、ボールが転がる方向が逆になる。

❸ 足のインサイドでボールを内側にける。

テクニック 片方の足で2つのうごきをする

ボールの下の方を、足の外側で軽く押し出して、同じ足の内側で逆に切り返します。ひざから前にでるイメージで行うとやりやすくなります。

アウトサイドからインサイドへ。

ダブルタッチ 38

ボールと体を横にスライドさせ敵をかわして、ドリブルする

レベル	人数	タイプ
●●●●○	1人	ドリブル能力

こんなプレイができる　ボールカットにきた敵の足をかわして、ドリブルを続ける。

❶ドリブルをする。

Point❶ 右足は空中で横にスライドして着地。

❷ボールを右足で横に軽いタッチではじく。

ドリブルにかかせない フェイント・テクニック

ダブルタッチは、ボールごと大きく横にスライドして、敵をぬきさるフェイント。左右の足で2回ボールにタッチするため、この名前がつきました。最初のタッチは、ボールを大きく横に押し出して、敵をかわすのが目的です。2回目のタッチは、ボールを前に出し、ドリブルを続けるのが目的です。

けるのではなく はじくイメージで

1回目のタッチを強くけってしまうと、ボールにいきおいが出すぎて、2回目のタッチで大きくボールがはなれてしまう。軽いタッチではじくようにボールを出そう。

右足で軽いタッチではじき、そのまま横に跳んで右足、左足の順に着地する。

Point 2 左足は角度をつけて、ソフトなタッチで受ける。

❸ 横から転がってきたボールを、左足にあてて前に転がす。

パティ流 上達の秘ケツ 技のレベルを高めるには練習あるのみ。

❹ 前に転がったボールで、ドリブルを続ける。

コーナーキック直接ゴール 39

1mのはばを活かして コーナーからシュートを打つ

| レベル ●●●●● | 人数 1人 | タイプ キック能力 |

こんなプレイができる コーナーから、カーブをえがいてつきささる、芸術的なゴールを決める。

❶ コーナーアークのはしにボールをおく。

❷ 助走をつけてコーナーキックをける。

Point❶ カーブをかけるバナナシュートも効果的。

１mのはばを活かしてゴールをねらう

コーナーキックをける場所「コーナーアーク」は、１mのはばです。一番はしにボールをおけば１m分、角度のあるところからけれます。つまり、カーブをかけなくても、ゴールをねらえるということ。ゴールできなくても、きわどいコースのシュートは、こぼれ球になるなど得点につながりやすくなります。

テクニック ボールを曲げるバナナシュートが有利

ボールを曲げるバナナシュートが打てれば、敵のキーパーやディフェンスをよけるようなキックを打つことができ、とても有利です。

ボールを巻きこむようにける。横から助走をとると、曲がりやすい。

バディ流 上達の秘ケツ 敵が予測していないプレイで混乱させる。

Point 2 ねらう場所は、ゴールの左右のすみ。

❸ ボールがゴールめがけて飛んでいく。

❹ ボールがゴールネットにつきささる。

第５章　夢のテクニック

オフサイドトラップを成功させる

敵のけるタイミングに合わせオフサイドトラップをしかける

| レベル ●●●● | 人数 5人 | タイプ 戦術能力 |

こんなプレイができる
失点につながるようなピンチを、なかったことにできる。

守備Ⓐ

❶ 攻撃が3人、守備が2人という3対2の不利な場面。敵のパスが通りそう。

オフサイドを利用し失点をへらす

攻撃側の選手がパスをしたとき、守備の選手がいる最終ラインよりも、ゴール側に攻撃の選手がいると、オフサイドという反則になります。オフサイドを上手くつかえば、得点をうばわれるようなピンチを防ぐことができます。ただし失敗すれば、逆に決定的なピンチをまねくので注意が必要です。

テクニック 複数人でやるときは声やアイコンタクトで

複数でオフサイドをしかけるときは、「上げろ」などの声や、アイコンタクトでタイミングを合わせましょう。オフサイドをしかけた後は、手を上げるなどアピールしましょう。

審判にオフサイドをしっかりアピール。

バディ流上達の秘ケツ
オフサイドによって守備のかけひきが広がる。

守備Ⓐ
オフサイドライン

Point❶ ける直前に、オフサイドラインを上げる。

❷敵がけるタイミングを見て、守備Aがディフェンスラインを上げ、オフサイドをとる。

第6章 センスをみがき、能力を伸ばす！
もっとサッカーが上手くなるために

ここでは、サッカーがもっと上手くなるための方法や考え方を、バディサッカークラブが実践している内容などをもとに、いろいろな角度から紹介していきます。

41 将来をみすえて能力を伸ばす

バディスポーツ幼児園の教育方針が原点にある

最初に、バディサッカークラブを運営する、バディスポーツ幼児園の取り組みから紹介します。バディサッカークラブでプレイする子どもたちの多くは卒園生でもあります。

バディスポーツ幼児園では、サッカーはもちろん、陸上、器械体操、バスケットボール、柔道など、さまざまな種目を子どもたちが学んでいます。中には、複数のスポーツをかけもちすることも。「日本ではじめてのスポーツによる幼児教育」を始めた幼児園だけに、さまざまな運動を、しっかりと目標をもって取り組みます。課外学習も多く、子どもたちは、スキーやスケート、キャンプなどにも挑戦します。

バディサッカークラブの基本的な指導方法の原点は、バディスポーツ幼児園にある。

さまざまな運動を経験することが大事

いろいろな運動を経験するということは、子どもの運動能力を伸ばすためには、とても大事なことです。サッカーが上達するうえでも同じことが言えます。たとえば、スキーをすべるときのひざを曲げるうごきは、サッカーのフェイントのうごきに通じるものがあります。柔道や空手などの間合いの取り方は、サッカーの相手とのきょりの取り方のヒントになるかもしれません。子どものうちは特に、ひとつの運動ばかり行うよりも、さまざまな運動を通して、いろいろなうごきを経験することが大事。実際に、現在の日本代表選手になっている卒園生も、バディ幼児園時代は、サッカーをやりながら、陸上をしていました。

さまざまな運動は、身体能力だけでなく、うごきの理解力も育つ。

考えさせることが、将来に活きる

バディサッカークラブでは、1年から4年までが基礎技術の習得を目指します。基礎ははんぷく練習が基本ですが、ただ技術を教えるのではなく、自分で考えさせて身につけさせます。パスが通らないときは、「どうしたらいいと思う？」と考えさせ、どうしてもわからないときだけヒントを与えます。自分の頭でしっかり理解して、それを実践することで、自分の力で成長できるようになります。

5、6年生になると応用力が求められます。これまで身に付けた技術をもとに、実際のゲームの中で勝利を目指します。試合中、監督やコーチはあまり口出しはしません。監督やコーチが言う通りにプレイすれば、勝てる試合が増えるかもしれません。しかし、そうしないのは、自分たちで考える力を育てることが大事だと考えているためです。

勝ちにこだわることは大事なことだが、それ以上に大切なことが小学生のサッカーにはある。

第6章 もっとサッカーが上手くなるために

創造力あるプレイヤーになるために 42

普段の生活の中で観察力をやしなう

サッカーの試合では、敵や味方のうごきを見て、次に何をしようとしているのかを予測する観察力がとても重要です。実はこの能力は、普段の生活の中でもきたえられます。たとえば、クラスのAくんが鉛筆で何かを書いている、急にきょろきょろ、落ち着かない様子で何かを探し始めた。「もしかしたら、消しゴムがないのかもしれない」。そっと、消し

何を考えているか推測するなど、普段の観察力が、サッカーのプレイに活きてくる。

ゴムを差し出したら、Aくんはきっとおどろくでしょう。このような観察力はサッカーにも活きてきます。

サッカーの試合で、味方がパスをほしいと思っていたり、敵の裏をねらっているときに、しっかり気づいてパスを出せる。逆に、敵が考えていることがわかれば、先回りをしてじゃまをすることで、攻撃をふせぐことができます。

学校や家の中などで、周りの人が何を考えているかを観察して、先回りした行動をしてみよう。

お手本になる選手のいいプレイから学ぶ

ヨーロッパのプロチームは、サッカーをする子どもたちを、試合に招待するといいます。いいプレイを子どものうちから見られることは、サッカーの成長において、とても大きな影響をおよぼしています。

上手なプレイヤーになるためには、上手なプレイを見て、頭の中にイメージを作ることが大事。周りにいるお手本になる選手のプレイを見

て、研究してみましょう。

現在は、テレビやインターネットで、日本や海外の上手なプロ選手のプレイを手軽に見ることができます。ただ、すごいプレイを見るだけでなく、どうしたらあんなプレイができるのかを自分で考え、できることはまねしてみましょう。

良いプレイを見て、自分のプレイに取り入れる。

イメージと体のうごきがひとつになるとき

ただし、サッカーの上手なプレイのイメージを、たくさん頭に中に持つことができても、じっさいに体がうごかなければ、同じようにプレイすることはできません。そのために必要なのが基礎の練習です。日々の練習をくりかえすことで、キックのコントロールや、ボールさばき、キープ力など、すこしずつ技術が向上していきます。

基礎技術がしっかり身についてくるのが、バディサッカークラブでは、だいたい小学5、6年生くらい。頭にある上手なプレイのイメージを、じっさいのプレイの中で、すこしずつ表現できるようになります。

イメージ通りのプレイができると、サッカーがどんどん楽しくなっていく。

プロなどの上手な選手の話を聞くと、スルーパスやシュートをける前に、自分がけるボールの軌道イメージが見えることがあるといいます。そして、じっさいにけったボールが、イメージ通りに飛んでいく。これは、頭の中のイメージと、体のうごきがひとつなったということ。とてもすばらしい体験であり、サッカーをしていてもっとも楽しいときでもあります。

頭の中の上手なプレイのイメージと同じように、体をうごかせるようになろう。

最高のモチベーションを育てる 43

自分に向いているプレイを考えてみよう

運動神経がすぐれている方が、サッカーをするには有利ですが、それだけでは上手なプレイヤーとはいえません。サッカーには、さまざまな能力があります。プロでも、ドリブルは苦手だけれど、ゴールの嗅覚が人一倍するどい、という選手がいます。足は速くはないが、頭がよくて、敵のきそうなところをよんで、ポジションをとるのが上手い選手もいます。自分の個性を活かしながら、どんなプレイがむいているのか考えてみましょう。得意なことは、上達もはやく、やる気にむすびつきます。

また、体が小さくて、あたり負けしてしまい、自分は向いていないかもしない、と思ってしまう人もいるかもしれません。子どもの体の成長は、人それぞれちがいます。特に小学生は、誕生月によっても体の体格差が大きく出ます。中学、高校になって一気に体が大きくなる子もいるので、あせらないことが大事です。

自分が目指すプレイスタイルのために、今できることをしよう。

なかまのために一生懸命プレイすることが大事

バディサッカークラブの女子チームは、全国大会で何度も優勝する強豪チームです。6年生になると、大きな試合になればなるほど、監督がメンバーを決めずに、自分たちで決めさせることもあります。つまり、チームメイトから、いっしょにプレイをしたいと思われる、信頼される選手になれることが、試合に出るためには必要ということ。どんなに技術があっても、独りよがりなプレイをする選手は、試合に出られません。

練習でも、試合でも、一生懸命取り組む姿勢が大事。

試合に出られるのはラインぎわのボールを最後までおいかけ、人が嫌がることをそっ先してやる、絶対にあきらめない「一生懸命な選手」です。みんなが、人が嫌がることを積きょく的にやる気持ちを持つことが、強いチームを作ることにつながっていきます。

「好きだからやる」が最高のモチベーション

　最近は、サッカーを上達したいために練習をする、という子どもが増えているそうです。昔よりも技術は上がっているけれど、勝ちにこだわる気持ちや、土壇場でのふんばりなどがなくなっているともいわれます。

　「上手くなるためにやる」というのは決して悪いことではありませんが、「好きだからやる」「楽しいからやる」という気持ちも一緒にもつことで、成長の仕方が変わってきます。

　以前は、サッカーが好きで好きで、楽しくてしょうがない。だから、もっと上手くなりたい、という子が多かったといいます。寝ても覚めてもサッカーのことばかり考え、試合に負けたときは、くやしくて泣いてしまう。今プロとして活やくする選手の多くは、「サッカーが大好き」という熱い気持ちで少年時代をすごしていました。大好きなことに取り組んでいると、つらいことや大変なことも、楽しいことに変わっていきます。「サッカーを楽しむ」ということも、意識してプレイしてみてください。

なかまとプレイできることを楽しもう。

メンタルを強化し、強い心をやしなう 44

今と昔の小学生のちがいについて

10数年前の子どもたちと、今の子どもたちを比べると、今の方が技術のレベルがとても上がっているといいます。少年サッカーのプレイを見ていても、小学生でこんなことができるのか、というほど、上手な選手が圧倒的に増えています。

その一方で、メンタルになると、昔の子どもの方がすぐれていたといわれます。多少プレイは荒っぽくても点をとってきたり、相手が強ければ強いほど熱くなるというところがありました。

しかし、今の子どもたちは、本番になると実力が出せなかったり、相手が強いと縮こまってしまったり、勝ちにこだわる気持ちも弱いといいます。強い気持ちを持つ方法は、人それぞれちがいますが、怒ったり、泣いたり、おさえている自分の気持ちを、もっと素直にサッカーにぶつけてもいいのかもしれません。

本番で成果が残せるかどうかは精神力の強さが大きい。

考え方を切りかえる

バディサッカークラブの女子チームでは、全国大会の決勝戦など、とても緊張する場面を何度も経験しています。「本番で力が発揮できるかどうか」は、気持ちの切りかえがとても大切です。どうしても緊張してしまうときは、「相手の気持ちを考える」。自分だけでなく、「相手も同じように緊張している」と考えられることで、少し緊張がほぐれます。またあるときは、「もしここで実力が出せず、負けたらどうなるか」を考えさせました。「負けたら悔いがのこる、絶対勝ちたい」と、気持ちが

ふるいたち、よい成果に結びついたのです。どのように考え方を切りかえるかは、そのときのメンバーや状況などによって変わってきます。が、上手く気持ちを切りかえることで、本番でより力が発揮できるようになっていきます。

気持ちを切りかえて、よいプレイができるようにもっていこう。

無理だと思うことに挑戦し、メンタルを強化

　バディスポーツ幼児園では、一見すると「子どもには無理では？」と思うようなことに挑戦させます。先生はできたら褒めてくれます。できない子は、マンツーマンで、できるまで指導。ただし、過保護な教え方はせず、基本的には「水もあげすぎれば、根も腐る」の教育方針です。

　バディサッカークラブでも、同じように、大変なことにあえて取り組みます。そのひとつが、走り込みで

ミニゲームの待ち時間に、屋上の練習場で走る1年生。

す。現在は、敬遠されがちな練習ですが、走ることはすべての基本であり、体力や脚力をつけるとともに、精神力を強くすることにもつながります。山の中を走ったり、練習前に外を走ったり、ということもします。

　むずかしい課題に挑戦して、やりとげる経験をたくさん持つことで、簡単にはへこたれない精神力をやしなえます。そのくりかえしの中で、目の前の大きなかべに向かっていく、強い気持ちが育っていきます。

グランドを往復して走り込みをする、3、4年。だらだら走るのではなく、本気で走る。

第6章　もっとサッカーが上手くなるために

123

女子サッカー Q&A

45

なでしこジャパンの活やくなどを背景に、競技人口の増えている女子サッカーの世界について、そぼくな疑問を、バディサッカークラブの女子監督にうかがいました。

お話を聞いた人　バディ女子サッカー　知久直子 監督

Q どれくらいの人がやっているの?

A　2011 FIFA女子ワールドカップでのなでしこジャパンの優勝などのえいきょうもあり、女子サッカーの競技人口は昔よりも増えました。日本サッカー協会の調べでは、2014年度の日本の女子の競技人口は2万6978人、チーム数約1216チームとされています。全世界でのサッカー競技人口は約2900万人で、そのうち半分以上の約1600万人がアメリカです。

Q 女子は男子の試合に出られるの?

A　男子の試合にも出られます。つまり女子は、男子チームと、女子チーム、両方の選択ができるということ。男子の練習にもついていける子は、近くの男子チームで練習するのも良いでしょう。運動神経のある、力強い女子は、男子チームでもレギュラーで活やくする子もいます。線の細い子は、まずは女子チームから始めたほうが良いでしょう。

Q ジュニア年代の女子と男子、サッカーの違いはどんなところ？

男子と女子では、体格、筋肉、骨格に差があり、スピードが違います。低学年のうちは、ボールをけれない子も多く、ボールを使った運動が中心です。最初はテニスボールなど小さいボールでヘディングするなど、ボールをこわいと思わせないことも大事です。ただし、力の弱かった子でも、基礎の練習をくりかえすことで、4〜6年生でいっきに成長して追い抜く子もいます。

Q 女子チームならではのチームづくりで大事なことは？

男子が、サッカーが好きで、休憩中もボールをけっているのとは、少し女子はちがいます。見ていないと、「つかれる」などの理由でさぼっていたり、追いつくのに真剣にボールを追わないということがよくあります。女子はちょっとずる賢いところがあるので、女の子だからとあまえさせないで、しっかり責任感を持ってプレイさせることが大事です。

Q 女子サッカーもプロリーグがあるの？

女子サッカーには、クラブや実業団、市民クラブ、学校などが参加するリーグがあります。なでしこリーグ（1部）は10チーム、なでしこリーグ（2部）は10チーム、チャレンジリーグ（3部）はEASTとWESTに分かれ、それぞれ12チームが参加しています。プロとしてサッカーだけをする選手と、会社で働きながらサッカーをするアマチュア選手がまざってプレイしています。

Q プロになりたいのですが、中学以降もプレイできますか？

中学でも女子チームが増え、プロまでの道のりも今はしっかりしています。なでしこのチームには、下部チームがあり、こちらは中学から入れます。それ以外にも、たくさんのチームがセレクションをするようになっています。セレクションに通るためには、小学生のうちからしっかり練習する必要があります。

第6章 もっとサッカーが上手くなるために

監修　バディサッカークラブ

　日本ではじめて「スポーツによる幼児教育」を実践した、バディスポーツ幼稚園が運営するサッカークラブ。独自のスポーツ理論や教育理論に基づいたサッカー指導を行い実績を出している。2000年全日本少年サッカー大会決勝大会（男子）ベスト8、2007年Jヴィレッジなでしこカップ全国ガールズ8（女子）優勝、2009年全国少年少女草サッカー大会史上初の男女同時優勝、2019年全国少年少女草サッカー大会も男女同時優勝などの成績を残す。SAMURAI BLUE日本代表、なでしこジャパン日本代表、フットサル女子日本代表など、サッカー界のトップ選手を卒園生・卒団生から多数輩出し、次の時代をになう選手達も続々と成長している。2020年から現役Jリーガー・丸山祐市選手のサッカースクールを開講。また、バディスポーツ幼児園の園長であり、バディサッカークラブ代表兼総監督の鈴木威氏は、その手腕を認められ、2010年から2021年までJリーグの名門・東京ヴェルディの会長も務めた。

代表・総監督

鈴木　威

江東バディ　コーチ

高橋　健

バディサッカークラブ
http://www.buddy-sports.co.jp/soccer/

モデル

後列左から、塚田陽、前田快人、中原健太、遠藤真太郎、田中輝

前列左から、野口旭陽、小林神威、市川未悠、鈴木洋佑

最近の主な実績

男子

- 2000　第24回 全日本少年サッカー大会　決勝大会　ベスト8
- 2007　全国少年少女草サッカー大会　優勝
- 2008　第32回 全日本少年サッカー大会　決勝大会　ベスト16
- 2009　全国少年少女草サッカー大会　優勝
- 2009　第29回 東京都少年サッカーさわやか杯　優勝
- 2010　第30回 東京都少年サッカーさわやか杯　優勝
- 2013　EXILE CUP 全国大会　5位
- 2014　第28回 全国少年少女草サッカー大会　優勝
- 2015　EXILE CUP 全国大会　7位
- 2015　第29回 全国少年少女草サッカー大会　3位
- 2018　関東少年サッカー大会　5位
- 2019　第33回 全国少年少女草サッカー大会　優勝
- 2019　ダノンネーションズカップ in JAPAN決勝大会　準優勝
- 2021　関東少年サッカー大会　準優勝

女子

- 2002　関東大会関東少女8人制(プレ)大会　優勝
- 2004　キヤノンカップ2004 全国大会　準優勝
- 2005　第2回 Jヴィレッジなでしこカップ全国ガールズ8 (U-12)　優勝
- 2007　第4回 Jヴィレッジなでしこカップ全国ガールズ8 (U-12)　優勝
- 2008　キヤノンカップ2008 全国大会　優勝
- 2009　第23回 全国少年少女草サッカー大会　優勝
- 2009　第29回 さわやか杯東京都少女サッカー大会　優勝
- 2010　キヤノンカップ2010 全国大会　準優勝
- 2013　キヤノンカップ2013 全国大会　優勝
- 2015　第29回 全国少年少女草サッカー大会　優勝
- 2016　第30回 全国少年少女草サッカー大会　優勝
- 2019　8都県少女サッカーフェスティバル　グループ1位（3年連続）
- 2019　8都県少女サッカー大会　優勝
- 2019　第33回 全国少年少女草サッカー大会　優勝
- 2020　8都県少女サッカー大会　優勝

※成績は一部を抜粋。

STAFF

監修
バディサッカークラブ

編集執筆
高橋淳二、野口 武（以上　有限会社ジェット）

デザイン
稲元恵（代々木デザイン事務所）

撮影
今井裕治

DTP
センターメディア

小学生のサッカー　実力アップのための最強トレーニング プレーの質で差をつける！

2022年4月30日　　第1版・第1刷発行

監　修	バディサッカークラブ
発行者	株式会社メイツユニバーサルコンテンツ
	代表者　三渡 治
	〒102-0093 東京都千代田区平河町一丁目1-8
印　刷	株式会社厚徳社

◎「メイツ出版」は当社の商標です。

●本書の一部、あるいは全部を無断でコピーすることは、法律で認められた場合を除き、著作権の侵害となりますので禁止します。
●定価はカバーに表示してあります。
©ジェット, 2016, 2022. ISBN978-4-7804-2605-2 C8075 Printed in Japan.

ご意見・ご感想はホームページから承っております。
ウェブサイト　https://www.mates-publishing.co.jp/

編集長：折居かおる　企画担当：堀明研斗／折居かおる

※本書は2016年4月発行の「ライバルに差をつける！小学生のサッカー 最強チームの成長メソッド」を元に、内容を確認のうえ一部再編集し、書名・装丁を変更して発行しています。